L'AMOUR SE JOUE
DES SORTILÈGES

L'AMOUR
SE JOUE
DES SORTILÈGES

ROMAN

FANVAL

L'AMOUR SE JOUE DES SORTILÈGES

Cet ouvrage a été édité pour sa première
publication en langue anglaise en 1987
par Pan Books Ltd, Cavaye Place, London
SW 10 9 P G
sous le titre :

SAVED BY LOVE

traduction française par Laure Terilli

NOTE DE L'AUTEUR

Au cours de mon voyage en France l'été dernier, la Bourgogne m'est apparue très différente des autres régions de ce pays que je connais si bien. A mon sens, c'est l'une des plus belles et des plus insaisissables.

Ici je me permets une petite parenthèse : il n'y a que dans le domaine culinaire – décidément seuls les Français savent ce qu'est la grande cuisine! – que les autres provinces n'ont rien à lui envier...

Ceci dit, la Bourgogne revêt un charme particulier.

Les fantômes des ducs de Bourgogne, leur puissance, leur magnificence, leur rôle prépondérant dans l'histoire et leur influence majeure dans le monde des arts – ne furent-ils pas comme un trait d'union entre le Moyen Age et la Renaissance? – hantent encore villes et églises et imprègnent l'air même que l'on respire.

La magie noire qui a probablement vu le jour dans

7

les sombres cavernes où vivaient les premiers hommes, a connu aux XVIᵉ et XVIIᵉ siècles un regain d'intérêt que persécutions et tortures n'ont pu réduire à néant. Elle a survécu à travers les âges chez les sorciers et les prêtres de l'art divinatoire. On en retrouve des traces dans les grandes religions et les philosophies anciennes.

Les voix qu'entendait Jeanne d'Arc ont permis à ses bourreaux de l'accuser de commerce avec le diable. De nos jours il n'existe pas une seule église qui n'ait sa statue de Jeanne d'Arc devant laquelle de nombreux cierges brûlent en permanence.

La sorcellerie existe encore à notre époque mais les temps de la magie noire sont désormais révolus. Au fond de tranquilles hameaux, des « sorcières » apportent amour et chance à ceux qui font appel à leur savoir.

En Bourgogne plus que partout ailleurs, l'on est conscient d'une atmosphère magique qui semble planer au-dessus des longues rangées de vignes.

Alors que je traversais la vallée tapissée de vignobles aux raisins qui commençaient à peine à se former, j'aperçus au loin, au sommet d'une colline, un château. A côté se dressait la flèche de sa chapelle privée.

J'imaginai alors l'histoire de ce livre.

CHAPITRE I
1865

Lady Yursa Holme revenait en chantonnant de sa promenade dans le parc du château où elle vivait avec son père. C'était une merveilleuse journée de printemps et rien n'était plus beau que les jonquilles qui formaient un tapis d'or sous les arbres.

Elle contourna la ravissante demeure de style Queen Anne que les comtes de Holme et de Lisgood habitaient depuis cent cinquante ans, et aperçut, arrêtée devant l'entrée, une élégante calèche attelée à deux chevaux superbes. Elle reconnut aussitôt, tous deux assis sur le siège avant, le vieux cocher dans son manteau à basques, son chapeau à cocarde sur la tête, et Jem, le valet de pied. Leur présence signifiait que lady Helmsdale venait d'arriver.

Sa grand-mère, qu'elle adorait, avait dès origines françaises, et depuis son plus jeune âge Yursa puisait ses rêveries dans les histoires des ducs de Bourgogne qu'elle lui racontait.

En effet, ce n'étaient pas les habituels contes de

9

fées comme Cendrillon, le petit chaperon rouge et Hansel et Gretel qui avaient peuplé l'univers de Yursa, mais les exploits de Philippe le Hardi, de Jean sans Peur et de Charles le Téméraire. Ces personnages étaient si vivants dans son imagination qu'il lui arrivait d'en rêver la nuit. Elle était persuadée que le jour où elle serait amoureuse, ce serait de quelqu'un d'aussi extraordinaire que Philippe III le Bon.

Au cours des cinquante années de son règne, il avait accompli de grandes choses et fait de la cour de Bourgogne une des cours les plus brillantes d'Europe. Les ducs de Bourgogne qui possédaient le courage des preux sur le champ de bataille, avaient toujours su réunir autour d'eux les artistes et les écrivains les plus talentueux de leur époque. Ils étaient également vénérés pour leur esprit de chevalerie et leur générosité à l'égard de ceux qui étaient dans le besoin.

Yursa pressa le pas, curieuse de savoir si sa grand-mère avait des nouvelles particulières à leur communiquer ou si elle venait simplement leur dire bonjour.

Elle s'arrêta néanmoins pour flatter les chevaux et demander au cocher, qu'elle connaissait depuis qu'elle était toute petite, si ses rhumatismes allaient mieux, sans oublier de s'enquérir de son fils. Ce dernier travaillait dans un immense domaine viticole en Bourgogne et se passionnait pour la culture des vignes, rejoignant en cela tout bon Bourguignon qui apprécie autant un verre de vin qu'une bagarre.

Lorsque le vieux cocher eut fini de passer en revue les ennuis et les maladies qui avaient frappé sa famille ces derniers temps, Yursa se précipita au château. Elle languissait tellement de revoir sa grand-mère!

Dans le hall elle ôta ses bottines avec lesquelles elle était sortie dans le jardin et enfila, pour ne pas salir les tapis, des chaussons de satin qui étaient posés sous une chaise. Elle se regarda quelques instants dans un miroir ancien au cadre doré, recoiffa rapidement ses cheveux du bout des doigts, puis se hâta vers le bureau de son père où il se trouvait invariablement à cette heure de la journée et où il recevait sans doute sa grand-mère.

Elle marchait sans bruit sur le tapis épais. Au moment où elle posait la main sur la poignée de la porte du bureau, elle s'aperçut que la porte était entrebâillée.

– Ce serait le mariage dont j'ai toujours rêvé pour Yursa, dit lady Helmsdale. Néanmoins, si nous ne nous hâtons pas de prendre une décision, le duc risque d'avoir d'autres projets.

Yursa s'immobilisa, stupéfaite et un peu effrayée par les propos qu'elle venait de surprendre.

– Yursa n'a pas encore dix-huit ans, entendit-elle son père, le comte, répliquer. D'autre part, j'avais prévu de l'emmener à Londres le mois prochain pour qu'elle présente ses hommages à la Reine.

– Je sais bien, dit la douairière. Toutefois, comme je viens de le dire, il nous faut réagir vite, de peur qu'il ne soit trop tard.

– Pourquoi? Qu'est-ce que cela signifie?

Il y eut un silence comme si la vieille dame choisissait ses mots avant de répondre.

– Je vais être franche avec vous, Edward. Voilà, César est très épris d'une femme que sa famille trouve totalement indésirable.

– Voulez-vous dire qu'il aurait l'intention de l'épouser? interrogea le comte, quelque peu incrédule.

– Cela se pourrait. Zélée de Salône n'est pas noble. Néanmoins, elle appartient à la haute bourgeoisie bourguignonne.

– Je croyais que César avait juré de ne pas se remarier tant qu'il ne rencontrait pas l'Amour avec un grand A, remarqua le comte. N'est-ce pas ce qu'il a toujours affirmé?

Lady Helmsdale fit un geste impatient de la main.

– L'amour. Qu'est-ce que l'amour? Il paraît, et je tiens cette information de source sûre, que Zélée de Salône, elle, est décidée à se faire épouser.

– A-t-elle déjà été mariée elle aussi?

– Oui, mais peu de temps. Son mari, un homme beaucoup plus âgé qu'elle, est mort d'une crise cardiaque. Depuis elle a refusé un certain nombre de prétendants... Inutile de préciser qu'aucun cependant n'était un parti aussi brillant que César.

– Enfin, tout de même, il doit bien se rendre compte que ce serait une erreur d'épouser une personne que sa famille réprouve.

Lady Helmsdale laissa échapper un soupir.

– Vous ne l'ignorez pas, César, n'en a toujours fait qu'à sa tête. Son père l'a marié quand il avait vingt ans à la fille du duc de Vallon, un parti convenable en tout point, une jeune fille noble, bien éduquée et dotée d'une fortune considérable.

Comme le comte se taisait, la douairière poursuivit :

– Vous connaissez la suite. Les jeunes gens se sont détestés dès l'instant où l'évêque les a unis à la cathédrale de Chartres. (Un voile de tristesse assombrit le regard de lady Helmsdale). Au bout d'un an de mariage qui, selon les propres termes de César, a été un échec lamentable, la pauvre fille est devenue folle à la suite d'une congestion cérébrale. Les médecins n'ont pas pu la soigner et elle est morte trois ans plus tard.

– J'ai toujours été navré pour César, observa le comte.

– Nous avons tous eu beaucoup de peine pour lui, renchérit la douairière, mais que pouvions-nous faire? Il a voyagé dans le monde entier et nous est revenu très changé.

– Que voulez-vous dire?

13

– Il a toujours été un brin arrogant. Quel est le duc qui ne l'est pas? Mais il est devenu cynique et d'une certaine façon s'est beaucoup aigri.

– Pourtant, à en croire les bruits qui courent sur son compte, il prend du bon temps!

– En effet, il a causé un certain nombre de scandales à Paris et s'est battu plusieurs fois en duel, dit lady Helmsdale. Mais que voulez-vous, cela n'a rien d'étonnant venant d'un garçon qui est devenu duc très jeune et qui se trouve selon les mots du poète « monarque de tout ce qu'il découvre »!

Le comte se mit à rire.

– C'est certainement vrai des ducs de Montvéal. J'ai toujours pensé qu'on ne pouvait espérer un trône plus imposant que l'énorme château dont César a hérité, perché au sommet d'un promontoire qui domine la vallée des vignobles.

La douairière sourit.

– Vous avez raison. D'ailleurs, depuis qu'il y habite, César se conduit en roi, ou plutôt en empereur, et que pouvons-nous faire, nous, ses pauvres parents, si ce n'est lui obéir avec la dévotion des esclaves?

Le comte rit de nouveau avant de dire :

– Je n'ai pas revu César depuis la mort de son épouse, mais naturellement j'entends parler de lui de temps à autre. En toute sincérité, je ne l'imagine pas se laisser influencer par sa famille ou ses amis. S'il a réellement l'intention d'épouser cette femme

14

en dépit de la désapprobation générale, il le fera.

– C'est bien pour cela que je n'ai pas envie de perdre mon énergie en paroles superflues, répliqua lady Helmsdale avec placidité. Je préfère agir et lui présenter Yursa.

– Vous croyez vraiment qu'il poserait les yeux sur une débutante?

Elle poussa un profond soupir.

– C'est risqué, bien sûr, c'est risqué, mais je ne vois que cette solution pour lui éviter les déconvenues d'une deuxième tragédie conjugale.

Il y eut un long silence avant que le comte ne reprenne :

– Je refuse d'obliger Yursa à épouser qui que ce soit. Je veux avant tout qu'elle soit heureuse, aussi heureuse que je l'ai été avec votre fille.

– Je sais, Edward, répondit affectueusement sa belle-mère. Mais enfin, Yursa est si jolie, qu'à mes yeux elle se gaspillerait en épousant l'un de ces aristocrates anglais frivoles qui, vous ne l'ignorez pas, ne se passionnent que pour la chasse et la pêche, et délaissent sans scrupule leurs épouses, fussent-elles d'une beauté sublime.

A ces mots, le comte renversa la tête et éclata de rire.

– Vous avez toujours été franche, dit-il, et je dois avouer que vos observations ne manquent pas de justesse. Toutefois, un mari français est-il tellement plus désirable? C'est un hypocrite qui complimente

15

à tort et à travers, et à peine jouit-il des faveurs d'une belle qu'il cherche déjà du regard une autre créature à se mettre sous la dent.

– Ce que j'espère et souhaite de toute mon âme, Edward, répondit lady Helmsdale, c'est qu'en voyant Yursa qu'il ne connaît pas encore, César s'aperçoive que sa jeunesse, sa beauté et son innocence sont les qualités qu'il désire au fond trouver chez une épouse.

– Croyez-vous cela possible?

– Un garçon qui a grandi en Bourgogne ne peut être que romantique. J'ai toujours voué à César une grande affection. Le sang des Montvéal coule aussi dans mes veines.

Elle se tut quelques secondes avant de reprendre :

– Vous le savez, sa mère, la duchesse, est ma plus grande et ma plus proche amie, et avant son mariage, ma propre mère était également une Montvéal. Je sais qu'autrefois César entretenait des idées généreuses, élevées. Il les a peut-être négligées au cours de ces dernières années, mais je suis sûre qu'il ne les a pas totalement oubliées.

– Vous êtes optimiste, remarqua le comte. A mon avis, un homme que la vie a meurtri et profondément déçu ne peut pas changer. Il garde ses blessures.

Il réfléchit un instant avant d'ajouter lentement :

– César devrait épouser une femme de son âge, brillante et sophistiquée qui saura mieux le comprendre qu'une jeune fille sans expérience qui fait ses débuts dans le monde.

– Peut-être avez-vous raison, concéda lady Helmsdale. Néanmoins, tout vaudrait mieux qu'un mariage entre César et Zélée de Salône. Je crois, bien que je n'ai aucune preuve, que c'est une femme dure et mauvaise. S'il commet la sottise de l'épouser, il le regrettera jusqu'à son dernier soupir.

– C'est une décision qui ne regarde que lui, dit le comte. Très sincèrement je ne veux pas que Yursa se trouve mêlée à quoi que ce soit de déplaisant. Ce genre de mésaventure pourrait la traumatiser.

– Tout ce que je vous demande, reprit la douairière après un silence, c'est de me laisser emmener Yursa en France pour un court séjour. Je suis, vous le savez, toujours la bienvenue au château des Montvéal. Je n'ai qu'à prévenir César de mon arrivée et il ne verra certainement aucun inconvénient à ce que ma petite-fille m'accompagne.

– Promettez-moi alors, si je consens à ce voyage, de ne pas pousser Yursa à ce mariage, à moins que vous n'ayez vous-même l'intime conviction que cette union serait heureuse.

– Là, mon gendre, vous m'insultez, protesta gentiment lady Helmsdale. J'aime César mais j'aime aussi ma petite-fille. Jamais je ne causerais de mal à Yursa.

Elle jeta un regard absent autour d'elle et ajouta avec une soudaine gravité :

– J'ai le pressentiment que Yursa est peut-être le salut d'un garçon qui mérite bien mieux que cette créature diabolique à laquelle il s'intéresse en ce moment.

A ces mots le comte sursauta.

– Qu'est-ce qui vous permet de parler ainsi? demanda-t-il.

La douairière eut un geste évasif de la main.

– Sans doute ai-je hérité de ma mère, qui était bourguignonne, une vive intuition. Bref, j'ignore comment exprimer ce que je ressens, mais mon instinct me dit que je dois emmener Yursa au château.

Le comte haussa les épaules.

– Si vous présentez les choses ainsi, je ne peux que vous donner mon assentiment. Néanmoins, je vous enjoins de ne rien tenter qui pourrait nuire au bonheur de Yursa.

– Je vous en fais le serment, répondit lady Helmsdale. Et maintenant dites-moi comment vous allez et racontez-moi ce qui s'est passé pendant mon séjour à Paris.

Yursa qui était restée immobile comme une statue derrière la porte, comprit que son père et sa grand-mère ne parleraient plus d'elle. Sur la pointe des pieds elle retourna pratiquement jusqu'au hall d'entrée, puis fit demi-tour et courut dans le couloir en espérant qu'on entendrait ses pas du bureau.

– Grand-mère, appela-t-elle. Je sais que vous êtes là.

Elle entra vivement dans la pièce et se précipita vers lady Helmsdale qui, assise sur le canapé, lui tendit les bras.

– Yursa, ma chérie, comme je suis contente de te voir!

– Je me demandais pourquoi vous tardiez à venir nous rendre visite depuis votre retour de France, dit Yursa. Vous êtes-vous bien amusée à Paris? Avez-vous acheté de belles robes?

– J'espère que mon choix aura ton approbation, répondit sa grand-mère. J'en ai ramené quelques-unes pour toi également, ma chérie.

– Oh, grand-mère, c'est fantastique! Papa avait promis de m'acheter de nouvelles toilettes pour aller à Londres, mais la mode la plus élégante vient de Paris.

– Tu jugeras par toi-même.

La douairière se tut et dévisagea avec attention sa petite-fille. Yursa était encore plus ravissante que ce qu'elle avait toujours pensé. En vérité il aurait été difficile, à moins d'être aveugle, de ne pas prendre la jeune fille pour un personnage de conte de fées.

L'ovale de son visage était dominé par deux grands yeux qui au lieu d'être bleus comme ceux de son père, ainsi qu'on aurait pu s'y attendre, étaient gris avec une touche d'or. Lorsqu'elle était inquiète ou triste, ils se teintaient de violet. Son regard était attachant et étonnamment adulte pour une jeune fille de son âge.

Elle avait une peau lumineuse et blanche comme un pétale de magnolia, que mettaient en valeur les reflets insolites de ses cheveux blonds, aux reflets dorés, du doré intense dont Botticelli parait les chevelures des jeunes femmes dans ses tableaux. Ils étincelaient comme le chaud soleil de l'été et soulignaient le charme ensorcelant de son sourire.

Yursa était d'une beauté magique que le pinceau d'un peintre ne pouvait saisir, tant sa personne était pleine de vie et animée d'une grâce mobile. Son être entier rayonnait à chaque mouvement, à chaque parole, à chaque battement de ses cils plus sombres que ses cheveux.

Oui, elle était d'une beauté saisissante qui attirerait et captiverait l'attention d'un homme, de telle façon qu'il aurait du mal à s'en détourner.

La douairière posa sa main sur celle de Yursa.

– Je viens juste d'en parler à ton père, ma chérie, et il est d'accord : avant d'aller à Londres, tu m'accompagnes en France pour un séjour d'une ou deux semaines.

– Oh, grand-mère, c'est merveilleux! s'exclama Yursa. Irons-nous à Paris?

– Peut-être après, pour t'acheter d'autres robes. Mais d'abord, je voudrais te montrer le château qui, depuis ma plus tendre enfance, a toujours été cher à mon cœur, et où ta mère a séjourné quand elle avait ton âge.

– Le château de Montvéal? s'écria Yursa. Oh,

grand-mère, c'est magnifique! Je préfère aller là-bas plutôt que partout ailleurs.

– J'espérais bien que mon projet te plairait, dit la douairière en souriant. Comme j'aimerais partir d'ici trois jours, il faut que tu commences à faire tes bagages tout de suite.

Au comble du bonheur, Yursa battit des mains et se tourna vers son père.

– J'accepte que tu entreprennes ce voyage, dit-il comme si elle lui demandait son accord, mais si une fois là-bas tu es déçue, ta grand-mère a promis de te ramener sans délai à la maison.

– Pourquoi serais-je déçue? interrogea Yursa.

Son père garda le silence.

Plus tard dans la soirée, tandis qu'ils bavardaient après le dîner, elle comprit que son père était inquiet. Ils étaient installés dans le grand salon où le moindre bibelot rappelait au comte sa chère épouse disparue.

– Ma chérie, dit-il à sa fille, je souhaite ton bonheur plus que tout au monde.

– Je sais, père, et vous avez toujours été bon avec moi, encore plus depuis que nous avons perdu maman.

– Ta mère me manque plus que je ne peux le dire, reconnut le comte, mais j'ai la chance d'avoir ma fille et mes deux fils.

Son regard s'éclaira à l'évocation de John et de William. Il tirait une vive fierté des deux garçons qui étaient chacun dans leur régiment. Yursa savait que malgré tout l'amour dont son père l'entourait, elle n'occupait dans son cœur que la deuxième place après ses frères.

C'était pour cette raison qu'à la mort de sa mère qui avait eu lieu six ans auparavant, elle s'était de plus en plus tournée vers son univers intérieur, un monde peuplé de dieux et de déesses, de héros et d'héroïnes bien plus réels à ses yeux que les personnes qu'elle rencontrait dans une journée. Le soir, elle s'endormait en se racontant des histoires de chevaliers valeureux qui se battaient au nom de leur foi et n'hésitaient pas à mourir pour de nobles causes. Elle se remémorait également les récits où, grâce à la prière et à la croyance au divin, des miracles s'accomplissaient.

Yursa avait toujours été fière du sang français qui coulait dans ses veines : son arrière-grand-mère était une Montvéal. Sa mère ayant grandi dans la foi catholique, Yursa avait été élevée selon les rites de la même église, alors que ses deux frères, à l'instar de leur père, étaient protestants. C'était un compromis qui avait été adopté avec succès par un certain nombre d'aristocrates anglais ayant épousé des Françaises.

Yursa avait donc mené une vie différente de celle de ses amies anglaises. Elle ne suivait pas le même culte que le reste de sa famille et avait fréquenté un couvent en Normandie dont une partie était réservée

22

à l'éducation des enfants de nobles. Les sœurs qui se dévouaient entièrement à leur foi et vivaient retirées du monde, occupaient l'autre partie du couvent.

Bien que cette différence d'enseignement n'altérât en rien le bonheur et l'amour qui unissaient ses parents, Yursa, pour sa part, avait senti comme une barrière s'élever entre sa famille et elle. D'une certaine façon, elle était étrangère parmi les siens. Il lui aurait été difficile d'exprimer par des mots cette impression qui pourtant ne la quittait jamais.

Elle se réfugiait donc de plus en plus dans son monde imaginaire, son jardin intérieur, qui, quoi qu'elle fasse, demeurait présent dans ses pensées.

Ce soir-là, ayant à l'esprit la conversation qu'elle avait surprise entre son père et sa grand-mère, elle se demanda si son père lui ferait part de l'inquiétude que lui causait ce séjour imprévu en Bourgogne ou s'il tairait ses craintes. Elle devinait qu'un conflit intérieur l'agitait, qu'il se battait avec ses sentiments tout en sachant qu'il était de son devoir de préparer sa fille à une éventualité qui risquait de se produire à l'issue de ce voyage en France.

— Ta grand-mère, dit-il enfin, est impatiente de te faire découvrir le château de Montvéal qui a toujours tenu une grande place dans son cœur.

— Elle m'en a souvent parlé, père.

— C'est certainement un château splendide, continua-t-il. Enfin... Toutefois, tu risques de trouver que

23

les Montvéal forment une famille bien étrange.

– Qu'entendez-vous par là?

– Je veux dire que les Montvéal ont tendance à traiter le duc qui est encore un homme jeune, comme un souverain tout-puissant qu'il faut saluer bien bas et dont il faut respecter les moindres exigences.

Le comte eut un rire bref avant de poursuivre :

– Nos ducs anglais sont bien sûr tout aussi imbus de leur personne et convaincus de leur importance. Néanmoins, j'ai l'impression qu'ils ne jouissent pas de la même autorité que César ou du moins qu'ils n'inspirent pas ce sentiment tyrannique de crainte respectueuse qui semble régner à Montvéal.

Yursa ne répondit pas et après un silence son père reprit :

– Ne te laisse pas intimider par ce Français, ma chérie. Après tout, comme mon père avait coutume de dire, si on pique un roi, il saigne comme tout le monde.

Elle se mit à rire.

– J'essaierai de suivre votre conseil, père. En tout cas, si le duc César est aussi orgueilleux que vous le dites, je doute fort qu'il me prête beaucoup d'attention.

– L'essentiel est de ne pas oublier que c'est un homme ordinaire, répéta le comte. En Angleterre nous avons nos héros mais nous ne nous aplatissons pas devant eux pour nous faire piétiner.

Cette remarque fut dite sur un ton sec et Yursa s'enquit d'un air innocent :

– Est-ce ainsi qu'agit le duc César?

– Je ne l'ai pas vu depuis des années, mais j'ai entendu dire qu'il était devenu plutôt prétentieux. Je crois que ça ne lui ferait pas de mal d'être remis à sa place. Non pas que tu doives te livrer à ce genre de fantaisie!

– Non, bien sûr que non, père.

– L'ennui avec ces Français, continua le comte comme s'il se parlait à lui-même, c'est qu'ils se croient sortis de la cuisse de Jupiter! S'ils étaient éduqués comme nous dans des « public schools », ils penseraient autrement.

– Cela fait-il une différence, père?

– Naturellement. Tes frères te le diraient. Les vantards reçoivent une bonne raclée bien méritée.

Il se tut quelques instants, puis ajouta :

– Tu es très jeune, Yursa, et je veux que tu saches que tu as le temps de te marier. Rien ne presse.

– Je sais, père.

– J'aime bien t'avoir ici avec moi et, lorsque nous irons à Londres, tu te feras de nombreux amis de ton âge que tu pourras inviter ici, la saison terminée.

– Merci, père.

– En outre, ils seront anglais. Le jour où tu te marieras, j'aimerais que tu épouses un Anglais, un type convenable qui t'aimera, te respectera et avec qui tu connaîtras le bonheur que j'ai connu avec ta mère.

Le comte n'avait pas pour habitude de parler aussi longuement. Yursa devinait qu'il cherchait ses mots pour exprimer les sentiments qui l'habitaient, un exercice qui n'était pas facile pour un homme au naturel réservé. D'un bond elle quitta son siège pour se pendre au cou de son père qui se tenait debout, le dos à la cheminée.

– Je vous aime, père, et je ne veux rien faire qui risque de vous déplaire.

Il passa le bras autour de son épaule.

– Tu es une bonne fille, Yursa. Parfois, je crains de mal te comprendre, mais je suis heureux de t'avoir.

– Moi aussi, je suis heureuse de vous avoir, père.

Elle déposa un baiser sur sa joue.

Gêné par cet excès d'émotion, le comte changea de sujet de conversation et se mit à parler de leurs projets pour le lendemain et des chevaux qu'ils monteraient.

Ce n'est que plus tard, lorsqu'elle fut couchée dans son lit, qu'elle réfléchit aux implications de ce séjour qui l'attendait. N'était-il pas étonnant que sa grand-mère ait le sentiment que sa petite-fille pouvait sauver le duc des griffes de sa maîtresse? S'il était réellement décidé à épouser Zélée de Salône, il était peu vraisemblable, à la lumière de ce que son père venait de lui apprendre, qu'il acceptât de changer d'avis.

Depuis qu'elle était petite, on lui avait rapporté toutes sortes d'histoires au sujet de César de Mont-véal. La parenté avec son arrière-grand-mère, l'amitié profonde qui avait lié sa mère à cette famille française et le titre de duc conféraient à ce lointain parent un prestige particulier, comme s'il était le prince charmant d'un merveilleux conte de fées. Sa personnalité était insolite, ses exploits fascinants, sa richesse fabuleuse.

On lui avait tellement parlé de César qu'elle avait l'impression de l'avoir rencontré, de l'avoir vu, de lui avoir parlé. Or, dans quelques jours à peine, pour la première fois, toutes ces choses se réaliseraient. Néanmoins, elle ne pouvait s'empêcher d'appréhender ce séjour. En d'autres circonstances, c'est-à-dire si elle n'avait pas appris qu'on espérait la marier au duc, la seule idée d'aller en Bourgogne l'eût comblée de joie. Or, elle savait désormais que ce voyage répondait à un but précis. Découvrir le château qui avait bercé ses rêves d'enfant, était en quelque sorte un prétexte.

L'attitude de sa grand-mère l'intriguait. Pourquoi s'imaginait-elle que sa rencontre avec le duc César serait capitale? Pourquoi souhaiterait-il, contre toute attente, prendre pour épouse une jeune débutante, anglaise de surcroît? A trente-trois ans, c'était un homme du monde qui, à en juger la rumeur, avait eu de nombreuses affaires de cœur. En outre, il envisageait d'épouser une femme que toute sa famille réprouvait. Yursa était convaincue que l'opinion de ses proches ne pèserait pas le moins du monde dans sa décision, à moins que son entêtement légendaire ne soit qu'une façade.

Depuis toujours on lui présentait le duc comme un individu doté d'une forte personnalité, qui entendait mener sa vie à sa guise et refusait de se montrer raisonnable. Par conséquent, s'il lui prenait l'envie d'épouser Zélée de Salône, il le ferait en dépit de toute considération.

Elle n'ignorait pas bien sûr – ne le lui avait-on pas répété maintes et maintes fois – qu'en France, comme en Angleterre, les aristocrates se mariaient entre eux. Dans le cas d'une mésalliance les malheureux époux subissaient la réprobation générale et de constants affronts, une situation des plus fâcheuses qui devait être évitée à tout prix.

Le mariage de ses parents avait été un mariage de convenance. Par chance ils s'étaient follement épris l'un de l'autre avant même que les fiançailles aient lieu. L'amour qu'ils se portaient n'avait fait que croître au fil des années. A la mort de son épouse, le comte avait eu le cœur brisé. Étant un homme réservé, il gardait pour lui son chagrin et son désespoir et ne se confiait jamais à son entourage.

Toute enfant déjà, Yursa qui ne manquait pas d'intuition, comprenait combien son père souffrait et à quel point il était malheureux de ne plus avoir son épouse bien-aimée à ses côtés. Néanmoins, parce qu'il était anglais, il devait taire ses sentiments, même à sa propre fille.

Par contrecoup, elle lui témoignait son affection et sa compassion en se montrant beaucoup plus extravertie que ce qu'elle était en général.

Vis-à-vis du projet de mariage que sa grand-mère venait de dévoiler, elle devinait, sans qu'il y eût besoin d'en parler, l'inquiétude qui rongeait son père, les sentiments partagés qui l'agitaient. Elle était persuadée, bien qu'il gardât le silence, que l'idée qu'elle puisse épouser le duc le choquait, même s'il s'agissait à tous points de vue d'une union brillante. Il pensait que le duc continuerait à mener une vie dissolue, à faire la cour aux femmes mariées et à collectionner les affaires de cœur qui scandalisaient la France et l'Angleterre. Le comte jugeait pareille conduite vile, indigne, et ne pouvait accepter qu'un membre de sa famille soit amené à en souffrir.

Yursa aurait voulu le rassurer, lui affirmer qu'elle n'avait nullement l'intention d'épouser le duc au cas où il la demanderait en mariage, ce qui d'ailleurs paraissait fort improbable. Mais parler librement à son père impliquait lui avouer avoir surpris la conversation qu'il avait eue avec sa grand-mère. Il dirait que c'est mal d'écouter aux portes et serait fâché.

« Pauvre papa, pensa-t-elle, couchée dans son lit, après avoir soufflé les bougies. Il se tracasse tellement pour moi. Enfin... Peut-être que lorsque nous serons à Londres, je rencontrerai quelqu'un de gentil et d'intéressant qui lui conviendra. »

En vérité, si elle était honnête, elle ne pouvait s'empêcher de ressentir une certaine excitation à l'idée de faire la connaissance du redoutable duc César.

Elle pourrait enfin juger par elle-même s'il avait une personnalité aussi fascinante que sa grand-mère le prétendait et s'il était aussi imprévisible que ce qu'on pouvait conclure des chuchotements horrifiés de son entourage.

Yursa était une jeune fille innocente. Au couvent tous les sujets étaient abordés, à l'exception de celui des hommes dont il était strictement interdit de parler. Il arrivait que ses camarades de classe se racontent en riant ce qu'elles avaient entendu lors de leurs vacances scolaires, mais ces histoires laissaient Yursa indifférente.

Elle adorait la musique qui évoquait le monde de ses rêves, dévorait les livres qu'on lui recommandait et se passionnait pour les leçons d'histoire grâce auxquelles elle en savait bien plus sur la France que sur aucun autre pays.

Étant fort sensible, il était inévitable qu'elle fût profondément émue par la piété des sœurs, l'atmosphère mystique de la chapelle du couvent et la ferveur des prêtres qui venaient leur parler des rites catholiques. Tout ceci rejoignait l'univers idéalisé qu'elle s'était construit et dans lequel elle vivait en permanence.

La beauté de la nature tenait également une place importante dans son monde imaginaire. Elle savait que les paysages de la Bourgogne l'enchanteraient. N'aimait-elle pas les fleurs qui poussaient dans son jardin, les vieux chênes séculaires du parc et les ruisseaux qui couraient dans les prés?

En vérité, l'immense château de Montvéal qui se dressait telle une sentinelle au-dessus de la vallée plantée de vignobles et regardait du côté des lointaines montagnes du Jura, lui apparaissait être la huitième merveille du monde.

« J'ignore comment sera le duc, songea-t-elle, mais je serai ravie de découvrir son pays et le royaume sur lequel il règne. »

Elle eut un rire intérieur car elle aussi pensait au duc César avec crainte, comme s'il était un véritable monarque, un empereur ou un dieu devant lequel il fallait s'incliner.

Or, depuis que la présence du duc peuplait ses rêves, elle avait décidé de relever le défi en quelque sorte et de refuser de voir en lui un être d'une essence supérieure, quelles que soient les difficultés qu'une telle attitude risquait d'engendrer.

CHAPITRE II

Le duc de Montvéal bâilla, puis repoussa le drap.
Une voix suave et pleine de séduction s'enquit à côté
de lui :
– Vous me laissez déjà, très cher?
– Il est temps que je regagne ma chambre.
– Mais pourquoi? Rien ne presse.
De nouveau le duc réprima un bâillement. Il
trouvait toujours atrocement ennuyeux que les femmes cherchent à le retenir après qu'ils aient fait
l'amour. En outre, il se sentait las. Il était monté à
cheval toute la journée et les heures passées en
compagnie de Zélée avaient été, bien qu'il n'aimât
pas se l'avouer, épuisantes.
– J'ai à vous parler, César, dit Zélée en posant la
tête sur son épaule.
– Il me semble que le moment est mal choisi pour
bavarder, répliqua-t-il, une note sarcastique dans la
voix.
– Il est plus facile de parler maintenant que

33

lorsque nous brûlons des flammes de la passion.

Le duc se demanda vaguement s'il devait repousser Zélée et se lever comme il en avait envie, ou s'il était plus sage d'écouter ce qu'elle avait à lui dire. Il ignorait de quoi elle désirait l'entretenir, mais il connaissait bien les méthodes de la jeune femme. Sans doute allait-elle lui demander un cadeau coûteux qu'il serait incapable de lui refuser, étant donné qu'à cette heure avancée de la soirée il n'avait pas les idées bien nettes.

Elle se serra contre lui.

– Eh bien, de quoi s'agit-il? fit-il brusquement sans pouvoir dissimuler son irritation.

– J'ai réfléchi, mon bien-aimé et tendre amant. Nous devrions nous marier.

A ces mots, le duc resta sans voix.

Jamais il n'avait envisagé d'épouser Zélée de Salône et d'ailleurs pour être honnête, l'idée que Zélée elle-même souhaiterait devenir sa femme ne l'avait pas effleuré. Elle ne lui avait pas caché le fait que depuis la mort de son mari, et très vraisemblablement avant, il y avait eu de nombreux hommes dans sa vie. Le duc l'avait prise pour maîtresse avec le même état d'esprit qu'il choisissait ses autres liaisons, c'est-à-dire sans songer une seule seconde à rendre ce lien permanent.

Il est vrai que Zélée était différente des demi-mondaines en compagnie desquelles il se divertissait à Paris. Elle venait d'une famille fort respectable de la haute bourgeoisie et M. de Salône, dont le domaine se situait non loin des terres du duc, avait toujours joui d'une excellente réputation.

Naturellement les douairières collet monté de la bonne société bourguignonne, choquées par sa conduite volage, s'étaient empressées d'exclure la jeune veuve de leurs réceptions. Quant au duc, il la plaçait au même rang que les actrices avec lesquelles il se distrayait et que les courtisanes de Paris dont la renommée gagnait toutes les cours d'Europe.

Devinant qu'elle attendait une réponse, il répliqua d'un ton léger :

— Ma chère Zélée, je ferais un mari épouvantable et à vrai dire, c'est une situation que, jusqu'à présent, j'ai toujours eu soin d'éviter.

— J'ai déjà entendu ce genre de raisonnement, répondit Zélée, mais, mon cher, nous serions heureux ensemble et je saurais vous amuser, alors que dans les bras d'une autre vous péririez d'ennui en quelques mois.

Le duc ne pouvait que reconnaître la justesse des propos de Zélée. Il avait toujours pensé que, quelle que fût l'épouse qu'il choisirait, passé le charme de la lune de miel, les liens conjugaux lui pèseraient terriblement. Là où Zélée se méprenait, c'est qu'elle serait impuissante à changer quoi que ce soit à cet état de choses.

Certes, elle était plus spirituelle et plus passionnée qu'aucune autre femme qu'il eût jamais rencontrée.

Néanmoins, à ses yeux ce n'étaient pas des qualités qu'il estimait essentielles chez une épouse.

S'il croyait avoir répondu de façon satisfaisante à la question de Zélée, il se trompait.

– Vous vous rendez compte, très cher, reprit-elle d'une voix cajoleuse qu'il trouvait parfois irrésistible, que mon père et toute ma famille jugent mes séjours répétés à Montvéal inacceptables. Ils ne savent que penser et espèrent que vous ne refuserez pas de vous engager pour sauver ma réputation.

A ces mots, le duc faillit éclater de rire.

Il savait trop bien que la conduite de Zélée avait toujours été pour les siens un véritable déshonneur. En outre, depuis leur liaison, la jeune femme était également connue dans les milieux parisiens.

Zélée était belle, bien sûr, mais d'une beauté étrange, sauvage, presque inquiétante, qui la singularisait des autres femmes. Une chevelure sombre, des yeux noirs en amande, un sourire ensorceleur et plein de provocation achevaient le portrait de cette Vénus devant laquelle les artistes réclamaient à genoux l'honneur de la peindre. Où qu'elle aille, les journalistes n'omettaient jamais de mentionner sa présence, faisant preuve d'un lyrisme débordant dans leurs efforts pour la décrire.

En vérité, aux yeux du duc, elle était indescriptible. Il se dégageait quelque chose de primitif de sa personne qui touchait presque à l'inhumain. Le duc était fort sensible à son esprit vif, à son sens de la repartie particulièrement aiguisé. Cependant il comprenait pourquoi tous les membres de sa famille sans exception la détestaient et s'offusquaient de la savoir si fréquemment à Montvéal.

Naturellement, il était hors de question qu'elle demeure au château seule avec lui. Par conséquent il invitait sans cesse des amis, et que cela leur plaise ou non, les femmes mariées se voyaient attribuer le rôle de chaperons pour une créature qu'elles ne pouvaient feindre d'ignorer sous prétexte qu'elle n'était pas noble. De plus, parmi les amis du duc, certains connaissaient le père et les oncles de Zélée, comme de riches propriétaires terriens.

– Nous serons très heureux, murmura Zélée, et je vous donnerais l'enfant qui héritera de votre titre et de vos biens.

A ces mots, le duc frémit. Il n'avait jamais encore éprouvé de sentiment de répulsion à l'égard de Zélée. Pourquoi lui en aurait-elle inspiré? Cependant l'idée qu'elle puisse être la mère de son fils lui était intolérable.

D'un mouvement brusque et hautain qui le caractérisait lorsqu'il était énervé, il se dégagea de l'étreinte de Zélée et se leva.

– Vous dites des sottises, dit-il en enfilant sa robe de chambre qu'il avait posée sur une chaise. Vous le savez fort bien, je n'ai pas l'intention de me marier. Je veux profiter de ma liberté.

Ce n'est que lorsqu'il eut noué la ceinture autour

37

de sa taille svelte, qu'il s'aperçut du silence de Zélée. Il leva la tête. Ses yeux noirs étaient posés sur lui et elle le regardait d'un air étrange. En gentilhomme bien élevé, il se pencha, courtois, pour lui faire un baisemain.

— Vous êtes à moi, César, dit-elle doucement, et je ne renoncerai jamais à vous.

Les lèvres du duc effleurèrent à peine la main de la jeune femme. D'un pas vif il gagna la porte qu'il ouvrit sans bruit, et sortit sans lui jeter un regard alors qu'il savait très bien qu'elle s'attendait à ce qu'il se retournât. Quand la porte se referma et qu'elle se rendit compte qu'il était parti, elle poussa une exclamation rageuse, pleine d'une violence contenue.

« Tu es à moi, à moi », aurait-elle voulu crier.

De dépit elle se renversa sur les coussins en se jurant que si le duc cherchait à lui échapper, elle ferait tout pour le garder.

Le lendemain matin au petit déjeuner le duc prévint sa cousine, une ravissante jeune femme qui était marquise, que lady Helmsdale allait séjourner quelques jours au château.

— Oh! comme je suis contente, s'exclama la marquise. Je ne l'ai pas vue depuis quelque temps et c'est la plus charmante vieille dame que j'aie jamais rencontrée. J'aimerais bien, quand j'aurai son âge, lui ressembler.

Le duc sourit.

– Voilà qui n'est pas pour sitôt. Mais je suis d'accord avec vous, Élisabeth Helmsdale possède un charme qui ne vieillit pas. Moi aussi je suis ravi de sa visite.

– Peut-être faudrait-il inviter quelques-uns de ses anciens admirateurs, suggéra la marquise.

– Bien sûr, mais nous devons penser aussi à inviter des jeunes dandys.

Comme sa cousine fronçait, surprise, ses sourcils finement dessinés, il expliqua :

– La comtesse vient avec sa petite-fille, Yursa Holme.

– Quel âge a-t-elle?

– Ma mère m'en a parlé. Je crois qu'elle a dix-sept ou dix-huit ans.

– Seigneur! s'écria la marquise. On va lui paraître bien vieux. Où vais-je trouver des jeunes hommes de vingt ans?

– Je suis sûr qu'il n'en manque pas, répliqua le duc avec indifférence.

La marquise demeura quelques instants silencieuse.

– Je crois, César, risqua-t-elle enfin, qu'il serait sage, si nous avons une débutante au château, que Mme de Salône mette un terme à son séjour parmi nous qui a largement dépassé les limites de la bienséance.

Elle se tut, vaguement inquiète. Elle savait qu'elle

faisait preuve d'insolence en parlant aussi ouvertement à son cousin, et l'espace d'un instant, elle craignit d'être allée trop loin et de l'avoir fâché.

– Vous avez peut-être raison, répondit le duc cependant, et je m'en remets à vous. Ce serait en fait une excellente idée si vous invitiez plusieurs jeunes gens. Cela nous donnerait un prétexte pour renvoyer certains de mes hôtes.

Là-dessus, il se leva et quitta la salle à manger.

Stupéfaite, la marquise le suivit des yeux. Non sans soulagement elle se demanda si l'emprise de Mme de Salône sur le duc n'était pas en train de faiblir. En l'absence du duc, les Montvéal ne cessaient de parler de cette liaison scandaleuse et la marquise savait qu'ils redoutaient, par on ne sait quelle ironie du sort, que sa détermination à rester célibataire ne finît par être fortement ébranlée.

« Je hais cette femme », songea-t-elle.

Une opinion qui exprimait exactement ce que les autres invités du duc ressentaient à l'égard de Zélée de Salône. D'ailleurs, à Montvéal, tout le monde s'accordait à dire, bien qu'il n'existât aucune preuve, que cette créature exerçait une influence néfaste sur leur bien-aimé César.

A la vive stupéfaction des invités, Zélée leur apprit, l'après-midi même qu'elle partirait le lendemain. Pendant quelques secondes le silence régna dans la pièce. Puis comme si chacun était gêné par ses propres pensées, la conversation reprit avec entrain.

Voyager en France avec sa grand-mère était une expérience exaltante pour Yursa. Elle fut transportée de joie quand, après la traversée de la Manche, elle posa enfin le pied sur cette terre à laquelle elle avait toujours eu le sentiment d'appartenir. Cette impression n'était pas liée au fait d'avoir grandi dans un couvent en Normandie. Yursa était simplement fière qu'un peu de sang français coulât dans ses veines.

Pour aller en Bourgogne elles prirent le chemin de fer. Ce fut un voyage long et harassant, mais aux yeux de Yursa tout se passa en un éclair tellement elle était conquise par le paysage qu'elle découvrait par les portières de leur compartiment. Elle avait toujours rêvé de voir d'autres régions de France que la Normandie qui ressemblait beaucoup à l'Angleterre.

Une voiture du duc les attendait à la petite gare locale. A travers les vitres elle apercevait les grandes étendues que formaient les riches terres cultivées, les montagnes au loin qui se découpaient sur le ciel et les longues routes rectilignes bordées d'arbres.

Enfin, elle vit le château construit sur un promontoire boisé et qui surplombait la vallée. Il était tel qu'elle se l'était imaginé dans ses rêves. Son architecture de tours et de tourelles le rendait imposant. A côté, se dressait la flèche de la chapelle qui abritait les tombeaux des Montvéal.

41

De peur que sa petite-fille saisisse mal l'atmosphère de sa France bien-aimée, lady Helmsdale fut intarissable pendant tout le trajet sur l'histoire des Montvéal et de la Bourgogne. Elle parla très peu du duc César. Néanmoins Yursa devinait qu'il était présent dans son esprit. Elle pouvait lire les pensées de sa grand-mère et comprenait que plus que tout au monde celle-ci souhaitait qu'elle devienne duchesse de Montvéal.

Bientôt les superbes chevaux qui tiraient l'élégante voiture, s'engagèrent au trot dans une allée bordée d'arbres immenses dont les frondaisons, en se rencontrant, formaient une voûte. On eût dit que le château touchait le ciel. Yursa se sentit comme ensorcelée par la magie de ce lieu. Comment aurait-il pu en être autrement alors que tout ce qui l'entourait était merveilleux? Les rêves secrets qui avaient nourri son imagination depuis sa plus tendre enfance, se concrétisaient enfin.

L'entrée du château était impressionnante. Un énorme portail s'ouvrait sur une cour pavée. Un majestueux perron de pierre menait à la porte principale de la bâtisse. Celle-ci était flanquée de deux sculptures d'animaux taillées dans la pierre, qui représentaient les armoiries des Montvéal.

Comme elles avaient voyagé toute la journée, lady Helmsdale insista pour qu'on les conduisit directement à leurs chambres.

– Nous désirons nous reposer et nous changer

avant de retrouver notre hôte, expliqua-t-elle au maître d'hôtel.

– Le duc a sûrement de nombreux invités, dit-elle en se tournant vers Yursa. Tu sais que les Français, à l'inverse des Anglais, accueillent volontiers amis et parents, même à l'improviste.

– Que se passe-t-il si tout le monde arrive en même temps et qu'il n'y ait pas assez de place? interrogea Yursa.

Sa grand-mère éclata de rire.

– Il y a plus de chambres dans ce château que j'aie jamais pu en compter, et je suis persuadée que personne ne serait renvoyé, même si le château nous paraissait plein à craquer.

Yursa avait appris que le duc adorait recevoir ses amis et était extrêmement hospitalier. Cette qualité qu'il avait héritée de son père et de son grand-père, datait de l'époque où le duché de Bourgogne n'était pas encore rattaché à la France et où les anciens ducs, à en croire l'histoire de cette région, menaient grand train.

– Philippe III le Bon fut le plus illustre des ducs de Bourgogne, expliqua lady Helmsdale à sa petite-fille qui écoutait, attentive. C'était un vrai chevalier. Il a fondé l'ordre de la Toison d'or et son propre ordre de chevalerie. Il a reçu à sa cour les ambassadeurs de tous les rois et de tous les empereurs de son temps.

– Est-ce que le duc César joue le même rôle de nos jours? s'enquit Yursa.

– Tous ceux qui sont invités au château savent que c'est un honneur, répondit la douairière. Néanmoins, César est encore jeune, et s'il reçoit des personnalités importantes, il compte également parmi ses convives des créatures qui décorent le château comme des bouquets de fleurs.

Yursa comprit que sa grand-mère faisait allusion aux femmes qui évoluaient autour du duc. Pour la première fois, elle se demanda si elle ne paraîtrait pas terne et démodée au milieu de ces Françaises qui devaient être éblouissantes de beauté et rivalisaient d'élégance. Puis elle pensa aux ravissantes toilettes que sa grand-mère lui avait achetées à Paris. Du moins en ce qui concernait ses vêtements, elle tiendrait donc son rang!

Il n'était pas dans l'habitude de Yursa de s'attarder à ce genre de considérations et au fur et à mesure qu'elle découvrait les merveilles qu'abritait le château, elle oublia bien vite ses détails de toilette.

Après s'être reposées, avoir pris un bain et s'être changées pour le dîner, lady Helmsdale et Yursa allèrent rejoindre leur hôte. Chemin faisant, la jeune fille se souvint soudain de la conversation surprise dans le bureau de son père. Prise par l'excitation du voyage, elle avait complètement oublié la raison pour laquelle sa grand-mère, de toute évidence en accord avec la mère du duc, avait manigancé ce séjour. Il s'agissait de démontrer au duc César qu'elle ferait une épouse idéale.

44

– Il n'y a aucune chance pour qu'un projet aussi extravagant se réalise, songea-t-elle. J'en suis persuadée.

Néanmoins, à l'idée d'être présentée au duc elle se sentait un peu nerveuse.

Des laquais vêtus d'une livrée richement décorée, portant des bas de soie blanche et coiffés de perruques poudrées, les conduisirent au salon. Deux d'entre eux ouvrirent les portes à double battant et le maître d'hôtel, dans un habit encore plus rutilant, les annonça.

Yursa eut l'impression d'entrer dans un pays de conte de fées. Les lustres énormes étaient allumés et le salon tout entier brillait de mille lumières. On eût dit que la pièce vacillait autour d'elle, comme si on venait d'agiter un kaléidoscope de couleurs chatoyantes. Alors, dans une sorte de mirage, s'approcha un homme si différent de ce qu'elle avait imaginé qu'elle en resta bouche bée.

Plus grand que la plupart des Français, il avait une silhouette athlétique qui, en d'autres temps, aurait fait de lui un guerrier valeureux, comme les anciens ducs de Bourgogne. Ses cheveux noirs, rejetés en arrière, découvraient un front large, et son visage aux traits bien dessinés ne manquait cependant pas d'originalité.

Il semblait un être à part. Ce sentiment venait-il de son regard noir, vif et pénétrant auquel manifestement rien n'échappait et qui fouillait son interlocuteur jusqu'au tréfonds de son âme?

Un rictus de la bouche et les légères rides qui apparaissaient aux commissures de ses lèvres laissaient deviner que cynisme et insolence étaient deux attitudes familières chez le duc. Cela lui donnait l'air bravache d'un pirate ou d'un boucanier, ce à quoi elle ne se serait jamais attendue. Parallèlement, il émanait de sa personne l'autorité des tout-puissants.

Instinctivement, elle s'inclina devant lui un peu plus bas qu'elle n'en avait eu l'intention et n'osa pas le regarder droit dans les yeux.

Il baisa d'abord la main de lady Helmsdale, puis déposa un baiser sur sa joue.

— Quel plaisir de vous revoir! dit-il. Je suis vraiment content que vous soyez venue.

— Depuis longtemps j'avais envie de venir à Montvéal, répondit la douairière. Voici ma petite-fille que tu as eu la gentillesse d'inviter.

Elle montra Yursa de la main.

— Je vous souhaite la bienvenue lady Yursa, dit le duc à la jeune fille qui faisait une révérence. Mais, puisque nous sommes parents, bien que parents éloignés, pourquoi ne pas faire fi des conventions? Je vous appellerai Yursa. D'ailleurs, c'est ainsi que j'ai toujours entendu parler de vous.

— Vous m'honorez, Monsieur, réussit à articuler Yursa.

Elle comprit, en sentant son regard qui la dévisageait, qu'il était surpris. Peut-être s'était-il attendu à ce qu'une débutante anglaise soit moins élégante?

Elle était loin de la vérité en tout cas. Le duc était tout simplement frappé par sa beauté.

Lady Helmsdale et Yursa furent ensuite présentées aux autres invités qui, comme elles l'avaient prévu, étaient nombreux. Beaucoup d'entre eux étaient, en fait, des parents du duc, et par conséquent de lointains parents de Yursa. Alors qu'ils étaient occupés à démêler les branches enchevêtrées de leur arbre généalogique, une dernière invitée fit son apparition. La gent féminine, déjà présente, songea, non sans mépris, que cela ressemblait bien à Zélée de faire une entrée aussi théâtrale. Quant au duc, il eut un sourire amusé. Il était conscient que Zélée blessait délibérément les convenances et ne ratait jamais une occasion de se faire remarquer. Ce soir encore, ne venait-elle pas de captiver l'intérêt de tous?

Elle portait une superbe toilette de Worth. Bien plus cependant que la coupe, c'était la couleur violente du modèle qui attirait le regard. Frederick Worth avait créé, en faisant preuve de son génie habituel, une robe de satin brodé de dentelle et de sequins d'un rouge flamboyant. L'attrait particulier de cette couleur était souligné par la chevelure noire aux reflets bleutés de Zélée et la blancheur de sa peau. On eût dit qu'elle sortait des flammes d'un feu ardent, ou de l'enfer même, comme le pensèrent plusieurs invitées qui, écrasées par l'arrogante beauté de la favorite du duc, pâlissaient de dépit. Autour de son cou brillait un collier de rubis et de diamants. Les mêmes pierres étincelaient à ses oreilles et à ses poignets.

Pour Yursa qui était déjà frappée par l'élégance des convives, Zélée fut une révélation. Jamais elle n'aurait imaginé qu'on puisse être d'une beauté aussi ensorcelante.

La jeune femme avança à pas mesurés dans le salon, et, comme le duc s'approchait d'elle, elle lui effleura la joue de la main. Un geste d'amour et de provocation qui proclamait bien haut qu'il lui appartenait. C'est alors que Yursa comprit qui était la merveilleuse inconnue. C'était la maîtresse du duc dont avait parlé sa grand-mère.

— Ce qu'elle est belle, songea-t-elle, et bien sûr il est très épris!

Le duc prit Zélée par le bras pour la présenter à lady Helmsdale. Celle-ci la salua avec une froideur polie. Dans sa voix il y avait une nette désapprobation qui n'échappa pas à Yursa.

— Et voici lady Yursa Holme, une cousine lointaine, enchaîna le duc.

Gracieuse et charmante, Zélée se retourna. Mais quand ses yeux se posèrent sur la jeune fille, son sourire s'évanouit et son regard caressant se durcit.

Voyait-elle en Yursa une rivale? Elle parut se raidir et trembler d'une colère qui ne trompait pas.

Alors, contre toute attente et de façon inexpliquée, Yursa éprouva soudain une profonde aversion pour cette femme. En une fraction de seconde elle comprit pourquoi sa grand-mère avait qualifié Zélée de Salône de créature diabolique. Elle était diabolique. Cette impression s'imposa à elle avec une intensité qui l'étonna.

Saisissant le duc par le bras, Zélée se détourna d'un mouvement brusque. Yursa se dit que pour la première fois de sa vie elle venait de rencontrer une ennemie. Elle ignorait comment cela avait pu se produire, mais il était clair que la guerre était déclarée.

Enfin tout le monde se dirigea vers la salle à manger. Le duc donna le bras à la douairière parce qu'elle venait d'arriver. La marquise, qui tenait le rôle d'hôtesse, présidait à une extrémité de la table. Quant à Zélée, elle eut le vif déplaisir de ne pas être assise à la gauche du duc ainsi qu'elle en avait l'habitude. C'était la place qu'elle occupait à chacun de ses séjours au château. Elle savait que ce changement était lié à la conversation qu'elle avait eue avec le duc le matin même. Celui-ci avait insisté pour qu'elle quitte Montvéal le lendemain.

– Pourquoi? avait-elle demandé. Rien ne presse, n'est-ce pas? Je suis si heureuse avec vous.

– Je sais, avait-il répliqué, mais la meilleure amie de ma mère, lady Helmsdale arrive aujourd'hui avec sa petite-fille. Par sa mère, elle est apparentée aux Montvéal. Néanmoins, elle demeure très anglaise et il est préférable que pendant son séjour j'observe les convenances.

– Ainsi vous me mettez à la porte!

– Je vous demande de quitter le château pendant quelque temps.

Zélée avait haussé les épaules de dépit.

– Pourquoi faire tant de manières pour des Anglaises qui sont toujours ennuyeuses, mal fagotées et laides?

– A vrai dire, c'est surtout par égard pour ma mère, répondit le duc. Je sais qu'elle aurait beaucoup de peine si elle apprenait que je me suis mal conduit en présence de lady Helmsdale. On n'aurait pas fini d'en raconter sur mon compte outre-Manche!

– Est-ce donc mal se conduire que de nous aimer et d'éprouver ensemble un bonheur extraordinaire? demanda Zélée d'un ton suave.

– Je vous demande d'être raisonnable, répliqua le duc avec patience.

– Je vous préviens que je suis incapable de l'être très longtemps.

Puis devinant que, de toute façon, le duc ne reviendrait pas sur sa décision, et étant trop intelligente pour faire une scène, elle ajouta:

– Très bien, César. Je vais rentrer chez moi pour une semaine ou plus, selon la durée du séjour de vos abominables Anglaises. Vous allez vous ennuyer sans moi et les nuits vont vous paraître vides et bien longues.

Elle dit ces derniers mots d'une voix ensorcelante comme si elle cherchait à le persuader de ce qu'elle affirmait.

– Merci, se contenta-t-il de répondre. Annoncez vous-même à Hélène votre départ. Ce sera mieux si cela vient de vous.

Hélène était la marquise qui faisait office de maîtresse de maison et Zélée la détestait.

Elle haussa les épaules, boudeuse.

« Enfin! songea le duc, soulagé. Zélée a le bon goût de reconnaître que j'ai raison. »

Néanmoins, parce que Zélée était Zélée, elle ne put résister au plaisir de monter une petite mise en scène, plus tard dans l'après-midi, en présence de la plupart des invités. A peine le duc était-il entré au salon qu'elle avait couru à lui.

– Mon cher, je suis désolée, mais hélas, c'est inévitable.

– De quoi s'agit-il? avait interrogé le duc.

– Je dois vous laisser. Mon père vient de me prévenir que le petit chien que j'adore a eu un accident. Il n'y a que moi qui puisse m'en occuper, aussi je dois rentrer chez moi.

Le regard amusé, le duc observait Zélée qui

regrettait de devoir quitter Montvéal et déplorait qu'un événement aussi malheureux ait eu lieu en son absence. Plus tard, ils restèrent seuls quelques minutes pendant que les invités montaient se changer pour le dîner.

— Êtes-vous content de moi? s'enquit-elle. Je m'en vais, comme vous me l'avez demandé.

— C'était un peu mélodramatique, répondit le duc, moqueur, mais je vous remercie d'avoir joué le jeu.

— J'espère que je vous manquerai et que tous ces moments que vous passerez sans moi vous seront une telle souffrance que vous me supplierez en pleurant de revenir.

Tout en parlant elle s'était rapprochée de lui, et bien qu'elle ne le touchât pas, il eut l'impression qu'elle tissait une toile d'araignée autour de lui afin de l'empêcher de s'échapper.

— Ce soir, murmura-t-elle, votre désir de moi restera inassouvi et vous devrez attendre mon retour, car moi seule peut vous satisfaire.

Elle plongea son regard dans le sien, puis avec la sensualité d'un serpent, s'éloigna, ses pas glissant sans bruit sur le sol. Le duc la suivit des yeux jusqu'à ce qu'elle disparaisse. Alors, il se secoua comme pour se libérer des liens invisibles dont elle l'avait enveloppé.

Le dîner fut si fastueux et si admirablement orchestré que Yursa croyait voir un tableau prendre vie.

Bien qu'elle s'efforçât de ne pas y prêter attention, elle sentait les regards furieux et hostiles que Zélée, assise de l'autre côté de la table, lui lançait. Elle tâchait de faire bonne contenance. Néanmoins, il était impossible d'ignorer que cette étrange et belle créature lui vouait une véritable haine.

Zélée avait peut-être deviné le motif réel que cachait le séjour de lady Helmsdale et de sa petite-fille au château. De toute façon, peu importait. En voyant le duc et ses amis, sans oublier bien sûr sa maîtresse, il était clair que ce projet de mariage n'aboutirait jamais. Seule une vieille dame, qui navait rien de mieux à faire, pouvait rêver à ce genre d'union.

Pas une seule fois le duc ne regarda dans la direction de Yursa. A vrai dire, il paraissait indifférent à toute personne de peu d'importance. Sans doute était-il à des lieues d'imaginer ce que sa charmante parente mijotait. A la réflexion Yursa était d'ailleurs convaincue que la mère du duc n'accueillerait pas volontiers l'idée que son fils épouse une jeune Anglaise.

« Il est français, songea Yursa. Ils sont tous français et je suis certaine que sa mère accepterait mal une étrangère pour belle-fille. Cela lui serait même insupportable. »

En fait, l'espoir que caressait lady Helmsdale de marier sa petite-fille au duc et la crainte des Montvéal de voir le chef de leur famille se mésallier étaient deux problèmes différents.

Naturellement Yursa comprenait l'antipathie qu'inspirait Zélée à l'entourage du duc et leur inquiétude. Zélée était comme le feu qu'elle incarnait si ardemment dans sa robe écarlate, un feu qui pouvait brûler ses ennemis.

Un léger frisson parcourut Yursa. Son bon sens lui disait tout ce qui risquait de gâcher un séjour qui promettait d'être enchanteur. Elle avait envie de s'amuser et de découvrir les nombreux trésors du château. Après tout, ne valait-il pas mieux s'en remettre au destin?

Le dîner terminé, les hommes suivirent les dames au salon, selon la coutume française, alors qu'en Angleterre, ils s'attardaient à table autour d'un verre de porto, laissant les femmes se retirer en premier.

Yursa se dirigea vers une fenêtre. La nuit était noire et les étoiles brillaient dans le ciel. La vallée, en contrebas, semblait lointaine et mystérieuse. L'esprit vagabondant, elle se mit à penser aux batailles qui, jadis, avaient fait rage dans la région et à Philippe le Bon qui, en dépit de son surnom, avait trahi la France et aidé les Anglais lors des derniers sursauts de la guerre de Cent ans. Un de ses soldats avait traîné Jeanne d'Arc jusque sous les remparts de Compiègne pour la vendre aux Anglais contre dix mille couronnes en sachant très bien le sort qui était réservé à la malheureuse jeune fille.

– Vous aimez ce paysage? demanda soudain une voix.

Absorbée dans ses rêveries, Yursa sursauta. Elle se retourna. Le duc César était là. Elle ne l'avait pas entendu approcher.

– C'est encore plus beau que je le pensais, répondit-elle.

– J'ai le sentiment que votre grand-mère vous a parlé de Montvéal.

– En effet, et depuis il a peuplé mes rêves.

– N'êtes-vous pas déçue maintenant que vous le découvrez?

– Tout est exactement comme je l'imaginais et plus grandiose encore. Quelle chance d'être le maître d'un château pareil!

Il la regarda d'un air étonné et une lueur cynique brilla au fond de ses yeux.

– Et moi, est-ce que je réponds à votre attente?

– Oh, non, pas du tout. Vous êtes très différent.

Ce n'était pas là le genre de réflexion auquel il était accoutumé.

Sa curiosité éveillée, il s'enquit :

– Et en quoi suis-je différent?

Yursa tourna la tête vers la fenêtre et, en silence, contempla la nuit au-dehors.

– J'attends, reprit-il après un court instant. Votre opinion m'intéresse.

– Je réfléchissais. Je crois que c'est parce que vous

êtes... plus vivant et beaucoup plus... intuitif que ce que j'avais imaginé.

– A quoi vous fiez-vous pour décréter que j'ai de l'intuition?

Elle eut un petit geste éloquent de la main qui exprimait mieux que les mots ce qu'elle éprouvait et qu'elle avait du mal à expliquer.

– Que pensez-vous de moi maintenant que nous avons fait connaissance?

Elle devina qu'il avait failli ajouter : « et que je n'habite plus vos rêves ». D'une certaine façon, cela ne lui parut pas prétentieux qu'il supposât qu'elle pensait à lui avant de le rencontrer. En vérité, c'était une question de logique. Il savait que lady Helmsdale n'avait pu évoquer le château des Montvéal sans parler de lui.

– On m'a raconté que votre entourage vous prenait pour un roi, un empereur, voire un dieu, dit-elle.

– Etes-vous de cet avis?

Elle secoua la tête en signe de négation.

– Alors... que suis-je?

Elle se détourna de la fenêtre et le regarda droit dans les yeux.

– Vous êtes le duc de Montvéal et cela devrait vous suffire.

Le duc parut étonné. Il était habitué aux flatteries. En général les femmes louaient sa beauté, ses qualités, son esprit brillant. Or, alors qu'il cherchait à sonder Yursa, voilà que la jeune fille éludait ses questions avec une intelligence et une vivacité surprenantes tout en lui opposant une réponse irréfutable.

Il aurait voulu continuer cette conversation, mais Zélée arriva et s'accrocha à son bras.

– Je vous attendais pour que vous jouiez aux cartes avec moi, dit-elle en minaudant. Vous ne pouvez pas me refuser ce plaisir. C'est notre dernière soirée ensemble.

Et elle l'entraîna.

Yursa resta près de la fenêtre à regarder la vallée et le ciel constellé d'étoiles. Puis, une de ses lointaines parentes âgées vint la retrouver pour débrouiller le fil enchevêtré de leurs liens de famille et calculer le nombre de générations qui les séparait.

Il était tard lorsque tout le monde alla se coucher. Une domestique attendait Yursa dans sa chambre pour l'aider à se déshabiller. Yursa enfila une ravissante chemise de nuit et un fin peignoir assorti que sa grand-mère lui avait achetés à Paris, puis alla à la fenêtre pour regarder une dernière fois, avant de se mettre au lit, la campagne endormie. Elle distingua ici et là, une lumière semblable à une étoile tombée du ciel.

De nouveau elle songea au passé de la Bourgogne, aux soldats, aux guerres impitoyables, aux ducs qui s'étaient battus sur les terres de Montvéal, à ceux qui y étaient morts.

Soudain elle entendit la porte s'ouvrir. Elle se retourna et eut la surprise de voir entrer Zélée de Salône. Curieuse de savoir quelle raison amenait cette femme si belle dans sa chambre à une heure aussi avancée de la soirée, Yursa laissa le rideau retomber sur la vitre et s'avança vers sa visiteuse. Celle-ci referma la porte.

— Avant de partir demain, j'ai un mot à vous dire, lady Yursa, lança-t-elle.

A son ton menaçant, Yursa comprit que la maîtresse du duc ne venait pas lui faire des assauts d'amabilité.

— J'ignore de quoi il s'agit, répondit-elle, interdite, mais je vous en prie, asseyez-vous.

Elle indiqua de la main un siège. Zélée resta debout près de la porte.

— C'est très simple, déclara-t-elle avec une violence mal contenue. Le duc m'appartient et rien de ce que vous pourrez dire ou faire ne me l'enlèvera.

On eût dit qu'elle crachait les mots tellement elle était en colère. Yursa se raidit et recula d'un pas devant cette attaque inattendue.

— Dès que je vous ai vue, j'ai compris pourquoi cette vieille gâteuse d'Anglaise, votre grand-mère, vous avait amenée au château. Ça fait cinq ans qu'elle complote avec la duchesse pour vous marier à César. Mais vous échouerez, vous entendez? Vous échouerez!

Elle parlait d'une façon blessante qui atteignit Yursa au plus profond de son être.

– Ceci est un avertissement, continua Zélée. Si vous tentez de nous séparer, César et moi, vous le regretterez. Rentrez en Angleterre et laissez le duc tranquille.

Ces dernières paroles résonnèrent dans la pièce. Zélée ouvrit la porte. Sur le seuil elle se retourna.

– Partez, répéta-t-elle. Partez avant qu'il soit trop tard.

Elle sortit d'un pas vif et la porte se referma.

Yursa qui était restée sans voix, ne bougea pas, figée par la stupeur. Plus que ses menaces, c'était la haine violente dont Zélée avait fait preuve à son égard qui l'anéantissait. Elle sentait que cette femme lui voulait du mal et qu'elle lui en ferait à la première occasion.

Elle s'assit sur une chaise et s'aperçut qu'elle tremblait. Cela paraissait absurde, pourtant c'était vrai : jamais personne ne l'avait autant terrorisée. Pour la première fois de sa vie, une peur atroce lui glaça le cœur.

CHAPITRE III

Yursa eut du mal à s'endormir et passa une nuit agitée. Le regard haineux de la Française et le timbre rauque de sa voix la hantaient. Elle avait beau se répéter qu'il était ridicule de se laisser intimider par une femme qui, en outre, quittait le château le lendemain, elle ne pouvait s'empêcher de frémir d'horreur en repensant à l'incident de la soirée, et ce n'est qu'après avoir longuement prié qu'elle parvint enfin à trouver le sommeil.

A son réveil cependant le souvenir détestable de Mme de Salône lui revint aussitôt à l'esprit. Elle désirait une seule chose : l'éviter jusqu'à son départ.

Elle prit son courage à deux mains.

– Avez-vous une idée de l'heure à laquelle Mme de Salône s'en va? demanda-t-elle à Jeanne, sa femme de chambre, qui venait d'entrer.

La domestique lui jeta un regard entendu comme si elle devinait que cette question n'était pas innocente.

— Madame s'en va après le petit déjeuner qu'elle prend dans sa chambre, Mademoiselle.

Yursa poussa un soupir de soulagement. C'est alors qu'elle vit Jeanne qui s'était détournée, se signer d'un geste furtif. N'était-ce pas un comportement étrange?

Néanmoins, Yursa n'osa descendre tout de suite à la salle à manger. Elle redoutait tellement une rencontre malheureuse qu'une fois habillée, elle décida d'aller se promener et emprunta un escalier de service qui, avait-elle appris la veille, menait droit aux écuries.

A l'instar de ce qui se passait en Angleterre, elle supposait qu'il était coutumier en France que les invités fassent une promenade avant le petit déjeuner s'ils éprouvaient l'envie de respirer l'air frais du matin.

Elle adorait les chevaux. De plus, les écuries du duc devaient être superbes et fort intéressantes à visiter. Dans ce domaine, là encore, la réalité dépassa ses prévisions. Les bâtiments étaient les mieux aménagés et les plus modernes qu'elle eût jamais vus. Quant aux chevaux, elle n'en avait jamais approché d'aussi racés et bien soignés. Un palefrenier la guida de stalle en stalle, ravi des exclamations admiratives que la vue de chaque animal lui arrachait.

Ils finissaient de visiter une rangée de boxes et s'apprêtaient à en passer une deuxième en revue lorsqu'ils entendirent des pas derrière eux. Ils se retournèrent. Vêtu d'une élégante tenue d'équitation, le duc arrivait.

– Ah, vous voilà donc, s'exclama-t-il. Ma cousine Hélène se demandait où vous aviez bien pu disparaître.

– Veuillez excuser mon impolitesse, répondit vivement Yursa. Je voulais jeter un coup d'œil sur vos chevaux, et ils sont tellement beaux que je me suis attardée plus longtemps que j'en avais l'intention.

– Mademoiselle s'y connaît en chevaux, Votre Grâce, commenta le palefrenier.

– Dans ce cas, sans doute aimeriez-vous monter? suggéra le duc.

A ces mots, le regard de Yursa s'éclaira.

– Je n'osais espérer que vous me le proposeriez.

Le duc consulta sa montre.

– Je venais choisir un cheval pour ma promenade de ce matin, expliqua-t-il. Si vous pouvez vous changer et déjeuner en un quart d'heure, je vous emmènerai avec moi.

Elle poussa un cri de joie. Sans même prendre le temps de répondre, elle saisit le devant de sa robe et courut vers le château aussi vite que possible. Jeanne qui était encore dans sa chambre, l'aida à se préparer.

Sa tenue d'équitation n'était ni neuve ni à la dernière mode, et comme Yursa avait grandi depuis qu'on la lui avait taillée, elle mettait en valeur sa taille menue et sa jolie poitrine ronde. Le tissu foncé, qui était de mise en Angleterre pour les parties de chasse, soulignait son teint clair et lumineux et les reflets d'or de ses cheveux.

En dix minutes elle fut prête et, dévalant l'escalier, elle gagna en courant la salle à manger où plusieurs convives étaient en train de déjeuner. On ne lui prêta guère attention tandis qu'elle avalait une tasse de café et mangeait un croissant tartiné de beurre et de miel. Ce n'est que lorsqu'elle quitta la pièce qu'une invitée remarqua, s'adressant à la marquise :

– Quelle jeune fille gracieuse et qui ne se donne pas de grands airs!

– Pourquoi ferait-elle des manières? répliqua Hélène en souriant.

L'invitée plus âgée eut un haussement d'épaules.

– Les jeunes femmes de nos jours, surtout celles qui sont jolies, sont trop gâtées. Elles ne pensent qu'à leur personne.

La marquise se mit à rire.

– Je me souviens qu'on disait la même chose de mon temps sur ma génération et la génération précédente.

Ne se doutant pas qu'elle était l'objet de compliments, Yursa se dépêcha de rejoindre le duc aux écuries. Il était déjà en selle, juché sur un magnifique étalon noir et les palefreniers tenaient par la bride un cheval tout aussi remarquable pour elle. Ayant appris à monter dès qu'elle avait su marcher, elle n'appréhendait nullement de se ridiculiser ou de paraître gauche devant le duc. Au contraire, elle éprouvait une telle joie à monter l'animal fin et racé qu'on lui avait choisi, qu'elle en oublia presque la présence de son hôte.

Ils quittèrent la cour de l'écurie, prirent l'allée du domaine et descendirent le chemin qui serpentait à travers la colline boisée, au sommet de laquelle se dressait le château. Elle devina qu'ils se dirigeaient vers la vallée afin de galoper en terrain plat. Ils avaient presque dépassé les bois touffus qui couvraient la butte de Montvéal lorsqu'ils entendirent le roulement d'un équipage derrière eux. Automatiquement ils se rangèrent sur le bord herbeux du sentier. Yursa eut le temps d'apercevoir un visage à la vitre de la portière et comprit qu'il s'agissait de Mme de Salône. Pendant quelques secondes les yeux noirs en amande la fixèrent avec dureté et elle sentit la haine que la maîtresse du duc éprouvait à son égard se déverser sur elle. Le duc leva poliment son chapeau, la voiture les dépassa et le bruit des roues s'évanouit au loin.

Yursa resta figée sur place, incapable de faire un mouvement. Puis son cheval battit de la queue et s'agita , impatient de reprendre la route. Il fallait se ressaisir. Elle s'engagea donc de nouveau sur le chemin à la suite du duc.

– Pourquoi Mme de Salône vous bouleverse-t-elle? s'enquit le duc quand elle arriva à sa hauteur.

Il devait avoir remarqué la pâleur soudaine de son teint, ou l'effroi qui se lisait dans son regard, à moins qu'il ne se fiât simplement à son intuition...

– Elle... elle m'effraie, répondit Yursa d'une voix mal assurée.

– Pourquoi?

Trop tard elle se rendit compte qu'elle aurait mieux fait de se taire. Elle détourna la tête, espérant que le duc croirait qu'elle n'avait pas entendu sa question. Toutefois, en fin psychologue, il devina que le silence de la jeune fille n'était pas innocent. Il se rapprocha d'elle et reprit :

– Dites-moi la vérité. Je veux savoir pourquoi Mme de Salône vous effraie.

Elle aurait préféré ne pas répondre, mais comment se dérober face à l'insistance du duc?

– Elle... elle est venue me voir dans ma chambre hier soir.

– Dans votre chambre? Pour quelle raison?

– Elle était en colère et énervée.

Le duc serra les lèvres. Il lui parut inutile de s'enquérir plus avant car il était clair que Zélée avait fait une scène et il devinait trop bien pourquoi.

– Oubliez-la, dit-il au bout d'un moment. Vous n'avez pas à vous soucier de Mme de Salône.

– C'est vrai... Je suis bien sotte de me laisser intimider...

Yursa parlait comme un enfant qui, terrorisé par l'obscurité, s'efforce de se raisonner et de ne pas céder à la panique. Cela fit sourire le duc.

– Avez-vous souvent peur?

– Je n'ai jamais eu peur de personne, autant que je m'en souvienne, dit-elle, ne sachant trop quoi répondre.

Le duc fronça les sourcils.

– Mme de Salône est une personne imprévisible, expliqua-t-il. (Manifestement il semblait trouver plus salutaire de parler de cet incident plutôt que de l'ignorer.) Comme vous avez pu vous en apercevoir, elle a également un goût prononcé pour le théâtre et le mélodrame. Aussi, je vous en conjure, oubliez-la.

– Je... j'essaierai, bredouilla Yursa.

Elle se dit alors qu'elle se conduisait comme le reste des Montvéal qui obéissait sans broncher aux ordres que leur donnait le duc.

Avec un sourire qui raviva son teint et dissipa la crainte qui assombrissait son regard, elle reprit :

– Voilà que vous vous comportez comme l'empereur ou le dieu que nous évoquions hier soir. Vous devriez pourtant savoir que si vous pouvez diriger les actions des gens, leurs pensées échappent à votre contrôle.

Le duc se mit à rire.

– Cela ne m'était encore jamais venu à l'esprit.

– C'est vrai. J'ai toujours pensé que plus on essayait d'oublier, moins on y parvenait.

A la réflexion, le duc se rendit compte de la justesse de cette observation. N'avait-il pas la désagréable impression, tandis qu'il s'efforçait de chasser de son esprit la demande en mariage de Zélée, que cette conversation ne cessait de le hanter?

Bientôt ils atteignirent la vallée où une vaste prairie s'étendait à perte de vue.

– Avant que nous ne devenions trop sérieux, dit le duc, laissons nos chevaux faire la course. Ils n'attendent que ça. Jusqu'au poteau blanc que vous apercevez, d'accord?

Yursa ne demandait pas mieux. Elle jeta un regard ravi à son compagnon et éperonna sa monture. Naturellement, quoique bonne cavalière, elle n'avait aucune chance de gagner le duc et son magnifique étalon. Néanmoins, elle ne se laissa pas distancer et ils dépassèrent le poteau blanc qui, apprit-elle plus tard, se situait à un mille de leur point de départ, encolure contre encolure.

– Vous montez merveilleusement bien, admira le duc quand ils mirent leurs chevaux au pas. On a souvent dû vous le dire.

– Mon père a toujours insisté pour que j'ai une bonne assiette et que je tienne les rênes avec souplesse.

– Vous montez comme Diane, la déesse de la chasse.

Bien qu'enchantée de l'éloge, Yursa soupçonna le duc de ne faire que répéter un de ces compliments qu'il avait coutume d'adresser à ses nombreuses admiratrices.

Ils continuèrent leur promenade au pas en bavardant à bâtons rompus. Le duc lui montra ses vignobles. Les vastes étendues de vignes constituaient un paysage splendide sous le soleil printanier. Voyant que ses explications l'intéressaient, il lui parla des grands vins du terroir : Gevrey-Chambertin, Nuits-Saint-Georges, Clos Mougeot et Romanée-Conti. Malheureusement le redouté phylloxéra était en train de décimer les récoltes.

– Mon cru préféré est le Gevrey-Chambertin. Savez-vous que Napoléon Bonaparte l'appréciait énormément et en buvait une demi-bouteille à chaque repas? Pendant son incarcération à Sainte-Hélène on ne lui servit bien sûr que du bourgogne ordinaire. Le Gevrey-Chambertin lui manquait beaucoup. C'est là un désagrément de plus qu'il eut à subir.

Yursa trouvait ce genre d'anecdotes amusant. Le duc lui rapporta d'autres récits sur la région tandis qu'ils regagnaient le château.

– La population est assez arriérée par ici, dit-il. Les villageois croient encore à l'existence de dragons dans les forêts et de nymphes dans les rivières.

Il rit avant d'ajouter :

– Nous avons aussi nos sorcières locales qui disent la bonne aventure et concoctent des philtres d'amour pour les filles qui veulent séduire les hommes sur lesquels elles ont jeté leur dévolu.

– Est-ce que ces charmes sont efficaces?

– Les paysans disent que oui et c'est déjà pas mal.

– Lorsque j'étais petite on racontait qu'une sorcière habitait notre village. Mais elle est morte avant que je sois en âge d'aller la voir.

– La sorcellerie vous intéresse donc?

Il y eut un court silence avant que Yursa réponde :

– J'imagine que j'ai toujours été captivée par ce qui est mystérieux... Peut-être serait-il plus approprié de parler de phénomènes surnaturels.

– Pourquoi?

Elle réfléchit un instant.

– A mon avis, il s'agit d'un héritage culturel en quelque sorte dû au sang français qui coule dans mes veines. Je possède un instinct, un pouvoir qui me permet parfois de deviner les pensées des gens.

Elle fit un petit geste de la main et ajouta :

– Je m'exprime mal. Peut-être que le terme d'intuition serait plus exact.

– Voulez-vous dire que vous entendez des voix comme Jeanne d'Arc?

– Ce serait en effet une explication. Tout ce que je peux affirmer, c'est que lorsqu'un événement particulier a lieu, je le pressens avant qu'il se produise et en général je ne me trompe pas.

– Alors, les voix qui parlaient à Jeanne d'Arc sont bien celles qui vous guident. Ici nous y croyons tous. C'est un don que possèdent ceux qui ont du sang bourguignon dans leurs veines.

– Je prends ceci comme un compliment et vous en remercie.

Visiblement cet éloge la touchait au plus profond d'elle-même. Le duc se fit la réflexion qu'elle n'aurait pas eu l'air plus heureuse s'il venait de lui offrir un bracelet de diamants ou un collier de rubis. Ses yeux brillaient de joie et la lumière du soleil qui caressait sa chevelure aux reflets d'or soulignait la pureté de son visage.

Toutefois le duc avait du mal à chasser totalement de son esprit Zélée de Salône. Heureusement que l'équipage qu'il lui avait prêté, l'emmenait loin de Montvéal. Elle n'oserait pas revenir sans son autorisation et peut-être ne la rappellerait-il jamais.

De retour au château, la grand-mère de Yursa les attendait dans le hall d'entrée.

– On m'a dit que tu étais allée te promener à cheval, mon enfant. Tu t'es bien amusée?

– C'était merveilleux, répondit Yursa. Je n'ai jamais monté une bête aussi magnifique.

Elle remarqua le coup d'œil que lady Helmsdale jetait en direction du duc et la devina prête à lancer un « et quelle chance d'avoir un cavalier aussi élégant que César pour t'accompagner »!

Gênée à l'idée que cette promenade aurait pu être manigancée à l'avance alors qu'il s'était agi d'un pur hasard, elle prit congé à la hâte sans oser regarder le duc, sous prétexte de se changer, et monta vivement à sa chambre. Lorsqu'elle redescendit, elle trouva les

71

invités réunis au salon en train de bavarder. La conversation roulait sur la difficile question de savoir comment passer l'après-midi.

– Je suis sûre que César aura une idée qui plaira à chacun, s'exclama une ravissante jeune femme épouse d'un homme fort distingué mais de plusieurs années son aîné.

A ces mots, Yursa eut la vive impression de surprendre la pensée secrète de la jeune femme. Celle-ci songeait que l'absence de Zélée de Salône lui offrait une chance inespérée de séduire le duc. Troublée, choquée par cette réflexion, Yursa s'éloigna du groupe et fit quelques pas vers un coin reculé du salon sous prétexte d'admirer un tableau.

De quel droit prêtait-elle des intentions malveillantes à cette jeune femme? Était-ce un effet de son imagination? Alors, elle comprit qu'il s'agissait de cette faculté qui lui était propre et lui permettait de lire les pensées des gens, phénomène qu'elle avait déjà expérimenté à plusieurs reprises par le passé. Néanmoins, depuis son arrivée à Montvéal, il semblait qu'elle était capable de saisir les préoccupations inavouées de la plupart des personnes présentes.

Elle avait deviné, sans y prêter attention alors, qu'un ami du duc, un homme d'âge mûr qui donnait l'impression de boire beaucoup, désirait emprunter une grosse somme d'argent à son hôte. Un autre invité, lui, cherchait un moyen de vendre au duc un cheval pour plus de sa valeur.

« Comment est-il possible que je devine ces choses ? »

Par un phénomène curieux, ces pensées s'imposaient à son esprit et malgré tous ses efforts pour les rejeter, elle savait qu'elles étaient vraies.

« J'y réfléchirai plus tard », songea-t-elle, posant un regard aveugle sur le ravissant tableau de Poussin qui avait attiré son attention.

Soudain, elle sentit la présence de Zélée de Salône, avec autant d'intensité que si cette créature maléfique, pleine d'une haine féroce qui l'atteignait en plein cœur, lui faisait face. Elle vit ses yeux lancer des éclairs et ses lèvres remuer comme si elle récitait des incantations. Étouffant un cri, Yursa comprit que Zélée de Salône lui lançait un sortilège. Une vive frayeur la traversa, fulgurante comme l'éclair. Elle avait besoin d'aide.

Elle jeta un coup d'œil à l'horloge. Une demi-heure encore avant que le déjeuner ne soit annoncé. Sans rien dire, elle se faufila hors de la pièce et se dirigea vers l'aile du château où se dressait la chapelle privée aperçue le jour de son arrivée. Gagnée par une peur panique, elle traversa en courant les longs couloirs vides décorés de somptueuses toiles de maître jusqu'à l'endroit où, à son avis, se situait la chapelle.

Elle possédait un bon sens de l'orientation et ne se trompa pas. Une vieille porte donnait en effet sur une petite cour pavée. Juste en face s'élevait une

73

bâtisse de pierre dont le portail de bois massif était surmonté d'une croix. Elle entra et se trouva dans une petite chapelle très belle qui, vu l'architecture du bâtiment, était probablement du xvᵉ siècle. Les murs étaient épais et les piliers massifs. Derrière l'autel, dans la façade nord, le motif du vitrail reprenait les armoiries des ducs de Montvéal. Des cierges brûlaient devant plusieurs statues. L'une d'elles représentait Jeanne d'Arc.

Yursa tomba à genoux devant, avec le sentiment que seule Jeanne saurait la comprendre. Peut-être avait-elle eu peur en entendant les voix qui lui commandaient de sauver la France car il s'agissait d'une force qui la dépassait?

– Aidez-moi, murmura-t-elle. Aidez-moi. J'ai tellement peur. Sauvez-moi de ce péril que je pressens.

Elle pria avec ferveur, les yeux fermés, consciente de la présence de Jeanne d'Arc dont la statue se dressait devant elle. Alors, sa crainte se dissipa et la paix revint dans son cœur. Les imprécations proférées par Zélée de Salône s'éloignèrent comme un nuage passe devant le soleil et le laisse enfin briller. Yursa retint sa respiration.

– Merci, merci, dit-elle à mi-voix.

Elle était sauvée. Le danger qui, quelques instants plus tôt, la menaçait, n'avait plus prise sur elle.

Il était temps de regagner le château.

– Je n'ai pas d'argent sur moi, dit-elle, mais je

reviendrai plus tard brûler un cierge pour vous et vous remercier encore une fois.

Elle fit une génuflexion devant l'autel, se signa avec l'eau bénite, à l'entrée de la porte, puis, traversant en courant la petite cour, rentra au château. Dans le vestibule qui menait au salon, elle faillit heurter le duc qui sortait de son bureau. Il la regarda, stupéfait. Elle s'était tellement dépêchée qu'elle était hors d'haleine. Ses cheveux qu'elle avait soigneusement coiffés avant de descendre, retombaient en mèches folles sur son front.

— Excusez-moi, excusez-moi, Monsieur, haleta-t-elle.

— D'où venez-vous au pas de course? demanda-t-il.

— De la chapelle.

Il eut l'air encore plus étonné.

— C'est une belle chapelle pour se recueillir.

— Vous trouvez?

Elle hocha la tête en signe d'assentiment. Puis, se rendant compte qu'il ne la quittait pas des yeux, elle se recoiffa d'un geste maladroit.

— Je me dépêchais de peur d'être en retard au déjeuner, expliqua-t-elle.

— Vous avez encore quelques minutes, dit le duc en souriant.

Sans se presser ils se dirigèrent ensemble vers le salon.

– S'il vous plaît, ne dites pas où j'étais, reprit Yursa au bout d'un moment.

– Avez-vous honte?

– Non, bien sûr que non, mais je suis allée à la chapelle pour une raison précise, et je préférerais qu'on ne me pose pas de questions.

Tout en parlant, elle se dit qu'elle était ridicule. Qui se soucierait de savoir pourquoi elle avait éprouvé le besoin de prier? La terreur qui l'avait saisie était à ses yeux une raison suffisante, mais personne ne la comprendrait. De plus, on estimerait qu'elle se complaisait dans le mélodrame et cherchait en réalité à attirer l'attention sur elle.

A ces mots, pourtant, le duc s'arrêta. Elle fit de même.

– Est-ce parce que vous aviez peur? s'enquit-il à voix basse.

Mentir paraissait vain. Elle dit donc la vérité.

– Oui, mais c'est fini maintenant.

– Est-ce à cause de Mme de Salône que vous aviez peur?

Yursa le regarda en se tordant les mains.

– Je vous en prie... Ne me posez pas de questions. Je sais que vous ne me croiriez pas.

– Pourquoi mettrais-je en doute la parole d'une personne qui, j'en suis sûr, ne dit jamais de mensonges?

– Je n'ai plus peur maintenant, répondit-elle, ignorant le compliment.

– Ce sont vos prières qui ont chassé vos craintes?

– J'ai... j'ai prié Jeanne d'Arc.

– Pourquoi elle en particulier?

– Parce que je me suis dit qu'elle me comprendrait.

– Alors votre appréhension était bien en rapport avec ces voix que vous entendez parfois, conclut le duc comme s'il venait de résoudre un problème de calcul épineux.

Yursa acquiesça d'un signe de tête mais garda le silence.

– Je vous ai dit d'oublier Mme de Salône, reprit-il avec autorité.

– J'ai essayé, mais j'ai senti sa présence et je savais...

Elle se tut soudain de peur de se laisser aller à des confidences que son hôte ne comprendrait pas.

– Que saviez-vous? interrogea-t-il, implacable.

– Je vous en supplie...

Elle leva la tête, l'implorant du regard. Leurs yeux se croisèrent et elle comprit qu'il n'y avait pas d'autre solution que de dire la vérité. Elle était en son pouvoir et ne pouvait lui résister. De même qu'il est impossible d'inverser le sens de la marée ou d'empêcher la lune de briller, elle était incapable de lui mentir.

– Elle cherchait à m'envoûter, chuchota-t-elle d'une voix si faible qu'il l'entendit à peine.

77

La colère brilla soudain dans le regard du duc et accusa les rides autour de sa bouche.

– Mais maintenant je suis sauvée, s'empressa-t-elle d'ajouter. Les maléfices se sont dissipés. Peut-être ne me menacera-t-elle plus jamais.

– Nous tâcherons d'y veiller en tout cas, répondit le duc d'un ton décidé.

Comme si tout avait été dit, ils entrèrent au salon en silence.

Le déjeuner fut distrayant. Les hommes racontèrent des histoires de chevaux et les femmes rivalisèrent d'esprit pour amuser le duc. Zélée de Salône partie, elles faisaient visiblement leur possible afin que leur hôte ne souffrît pas de son absence. Elles le flattèrent, le taquinèrent et minaudèrent avec le savoir-faire si particulier des Françaises en ce domaine, et leurs reparties pleines d'humour et autres coquetteries le mirent certainement de bonne humeur. Le délicieux repas terminé, le duc proposa d'aller à Dijon.

– Cet après-midi, j'ai pensé que nous pourrions visiter le palais ducal et, si nous en avions le temps, le tombeau de Philippe le Hardi.

Cette suggestion enchanta tout le monde. Le duc regarda Yursa en parlant et comprit à ses yeux brillants que l'idée la séduisait particulièrement. Elle eut l'impression qu'il cherchait surtout à lui faire plaisir. Mais n'était-il pas ridicule d'avoir de telles

pensées? Elle s'en voulut de se montrer aussi suffisante.

Les invités se répartirent donc dans les diverses
calèches mises à leur disposition. Le duc pria la
marquise, sa cousine Hélène, de monter avec lui, et
Yursa ne put s'empêcher d'éprouver un léger pince-
ment au cœur car elle aurait bien aimé avoir cet
honneur. Par contre le retour fut organisé différem-
ment.

– Ma plus jeune invitée qui est aussi la dernière
invitée, voudra peut-être bien de ma compagnie? dit
le duc au moment de quitter Dijon pour regagner
Montvéal.

A ces mots, Yursa se sentit parcourue d'un frisson
de joie. Puis, elle se raisonna. Le duc, prévenant et
soucieux de s'acquitter de son rôle d'hôte avec
gentillesse, désirait sans doute s'assurer que ses
craintes s'étaient dissipées.

La visite des deux tours du palais ducal, commen-
tée par le duc, fut intéressante. L'une portait le nom
de Philippe le Bon, l'autre celui de tour de Bar. Il
s'agissait de la prison du « bon roi René », comte de
Provence, roi de Sicile et duc de Bar et de Lorraine.
Malheureusement, c'était tout ce qu'il restait de
l'ancien palais, le palais actuel ayant été reconstruit
sur l'ordre de Louis XIV.

Yursa s'extasia sur tout ce qu'elle découvrit, en
particulier dans la salle de Garde au premier étage,
les magnifiques tombes des ducs et une statue de

Philippe le Hardi. Toutefois, elle fut encore plus fascinée par les «pleureuses en capuchon», de merveilleuses effigies gravées dans des petites niches situées sur les côtés de son tombeau. Ces personnages pleuraient éternellement l'homme qui avait tant de fois combattu pour la Bourgogne.

Le savoir du duc sur l'histoire de sa région était immense et Yursa avait l'impression d'entendre les récits que sa grand-mère lui faisait quand elle était enfant.

Elle ne s'apercevait pas qu'elle était en réalité son unique auditrice. En effet, le duc ne s'adressait qu'à elle car il savait que ses explications ennuyaient à mourir ses autres invités dont les seuls sujets d'intérêt se limitaient aux commérages et à leur propre égo. Comme tout conteur, il était flatté de l'attention profonde que lui accordait Yursa et ne se lassait pas de suivre sur le visage de la jeune fille les diverses émotions que suscitaient ses récits.

— Votre après-midi touristique vous a-t-il plu? s'enquit-il sur le chemin du retour tout en conduisant la calèche tirée par deux chevaux superbes.

— C'était merveilleux, comme le château de Mont-véal. Je n'espérais pas mieux de mon séjour en Bourgogne.

— Vous n'êtes donc pas déçue?

— Bien sûr que non! Vous êtes si gentil.

Le duc eut un tic nerveux de la bouche.

— C'est là une qualité que l'on ne m'accorde pas d'ordinaire.

– Pourquoi?

– Beaucoup de gens me trouvent dur.

Il pensait à ses anciennes maîtresses qu'il avait délaissées parce qu'elles l'ennuyaient. Elles ne cessaient de se plaindre de sa cruauté, de sa méchanceté, de son égoïsme, de son absence de sentiment.

Bien qu'il lui fût impossible de comprendre exactement ce qui s'était passé entre le duc et les femmes qu'il avait connues, Yursa devina ses pensées.

– Ma mère avait coutume de dire que les gens exigent trop de la vie parce qu'ils sont insatiables, et qu'il ne faut pas demander tous les jours un cadeau.

Il se mit à rire.

– En effet, votre mère avait raison, et comme elle a dû s'en apercevoir, la plupart des gens se conduisent en enfants gâtés.

– Si je suis bien votre raisonnement, cela revient à dire qu'ils sont sots.

– Pourquoi?

– Parce que se conduire en enfant gâté signifie, tout d'abord, que vous attendez trop de la vie et ensuite que vous n'êtes pas reconnaissant de ce que la vie vous offre déjà, et puis, que vous vous estimez supérieur aux autres et que par conséquent vous devriez recevoir plus.

Ils roulèrent quelques instants en silence.

– Vous m'étonnez, Yursa, s'écria soudain le duc après avoir réfléchi à la pertinence de ces paroles.

Cette observation vient-elle de vous ou vous a-t-elle été soufflée?

– J'espère qu'elle est de mon cru. Vivre dans un couvent parmi des religieuses vous ouvre les yeux sur le désintéressement de certaines personnes. Et naturellement, comme on souhaiterait leur ressembler, on s'efforce de les prendre pour modèle.

Il se dit à part lui que ce n'était pas une attitude naturelle pour tout le monde.

– Vous êtes bien jeune, encore, ni gâtée ni blasée. Qu'attendez-vous donc de la vie? interrogea-t-il.

Un silence suivit cette question pendant lequel Yursa réfléchit.

– Il ne s'agit pas tant de ce que j'attends de la vie, mais plutôt de ce que j'espère et souhaite être de toute mon âme. Je voudrais être bonne et tolérante, pouvoir aider ceux qui sont dans le besoin et ne haïr personne.

La simplicité de ces paroles et l'accent de vérité qui les accompagnait touchèrent le duc qui devina que la jeune fille parlait du fond du cœur.

– Je suppose, dit-il, impérieux et avec un brin de provocation ainsi que l'exigeait son image extérieure, que, à l'instar de vos congénères du même sexe, vous espérez remettre dans le droit chemin ceux qui s'en sont écartés et bien sûr sauver de l'enfer les libertins incorrigibles comme moi.

Elle leva un regard surpris sur lui, puis une expression malicieuse se peignit sur son visage.

– Cela vous plaît-il d'être un libertin?

– Naturellement! Cela veut dire que je peux goûter aux meilleures choses de la vie sans me soucier des conséquences.

– En vérité, je crois que vous cherchez à vous montrer plus terrible que vous ne l'êtes.

– Et pour quelle raison, je vous prie?

– Parce que vous êtes un homme d'action. C'est dans votre sang. Or, puisqu'il n'est plus possible de guerroyer comme les anciens ducs dont nous venons de visiter le palais, et qu'ensuite vous êtes trop intelligent pour vous battre contre des moulins à vent, vous vous êtes trouvé ce substitut. Néanmoins, vous êtes parfaitement conscient qu'avant même de relever le défi que vous vous imposez, vous serez le vainqueur.

Le duc tourna vers Yursa un visage étonné.

– Qui vous a parlé de moi?

Elle se mit à rire.

– Tout le monde parle de vous, mais pas dans les termes que je viens d'employer. Ma réflexion peut vous paraître impertinente, pourtant, je vous assure, personne ne me l'a soufflée.

– Non, ce n'est pas impertinent, c'est suprenant.

Ils poursuivirent leur route en silence.

– Au fond, vous voulez dire, reprit-il au bout d'un moment, que si, à l'image de Philippe le Hardi, je me battais pour une cause qui en vaille la peine et que je désire vraiment, j'apprécierais d'autant mieux le défi.

– Bien sûr et ce serait une erreur de souhaiter une victoire aisée.

Le duc trouvait extraordinaire que cette jeune fille qui était encore une enfant pour ainsi dire, ait compris et analysé avec autant de perspicacité sa conduite et la raison de son ennui. En effet, sur le plan matériel il ne manquait de rien et par conséquent pouvait sans difficulté satisfaire le moindre de ses désirs.

– Il est vrai, reprit-il, que la plupart des femmes que je courtise, se soumettent trop vite.

Il avait d'ailleurs souvent pensé que si une femme lui avait un tant soit peu résisté, il ne l'en aurait que mieux aimé. Malheureusement toutes sans exception se jetaient avec un abandon total dans ses bras avant même qu'il eût le temps de mémoriser leurs prénoms.

Et que la vie lui offrait-elle de palpitant en dehors des conquêtes féminines? Remporter la plupart des courses de chevaux? Abattre d'un seul coup de feu, avec l'adresse qui le caractérisait, un oiseau en plein vol ou un sanglier sauvage? Pourtant, n'était-il pas absurde de se lamenter sur son sort? N'importe qui à sa place serait pleinement heureux et satisfait. Il jouissait d'une position sociale privilégiée et possédait une immense fortune qui s'augmentait des plus belles terres de Bourgogne.

– N'oubliez pas que comme Napoléon, cela vous

manquerait beaucoup si vous ne l'aviez pas, dit Yursa à mi-voix.

Il l'observa, stupéfait.

– Voilà que vous lisez mes pensées! s'exclama-t-il, incrédule.

Elle sursauta et le regarda avec appréhension.

– Je suis navrée... Excusez-moi, je n'avais pas l'intention de me montrer indiscrète. J'ai simplement deviné...

– Comment est-ce possible? s'écria-t-il avec brusquerie sous le coup de la surprise. Comment êtes-vous capable de saisir mes pensées? Et pourquoi?

– Je crains que vous ne me croyiez pas, murmurat-elle sur un ton d'excuse, mais depuis mon arrivée à Montvéal... ce phénomène s'est produit à plusieurs reprises... avec vous et aussi avec vos invités...

– Ainsi vous lisez les pensées de mes amis? Je n'en crois rien, lança-t-il, cinglant.

Elle détourna la tête.

– Pardonnez-moi, reprit-il en se radoucissant. C'est la surprise qui me fait élever la voix. Me jurez-vous, sur tout ce que vous avez de plus cher au monde, de dire la vérité? Vous lisez mes pensées et celles de mes invités?

– Non, pas de tous vos invités, bredouilla-t-elle. Et c'est bien malgré moi. Je n'y suis pour rien. A mon insu, je me suis aperçue que je devinais la préoccupation d'une des dames présentes et aussi de deux hommes.

85

– Dites-moi de quoi il s'agit.

– L'un de vos amis se demandait si... vous accepteriez de lui prêter une importante somme d'argent...

– Et le deuxième?

– Il songeait à vous vendre un cheval.

Le duc qui manifestement pouvait mettre un nom sur les deux personnes en question, resta silencieux pendant plusieurs minutes. Il avait du mal à croire ce qu'il venait d'entendre. Néanmoins, l'embarras évident de la jeune fille prouvait qu'elle n'avait pas cherché volontairement à surprendre les intentions de ses deux invités.

– Et cette dame, que pensait-elle? ne put-il s'empêcher de demander, sa curiosité piquée.

Le visage de Yursa s'empourpra. Il comprit sans qu'elle ait à ouvrir la bouche quelle idée avait traversé l'esprit de cette femme. En voyant la gêne de Yursa, intimidée par le tour personnel que prenait leur conversation, il se sentit soudain cruel.

– Bon, je cesse de vous harceler avec mes questions, dit-il gentiment. Mais comment prévenir mes invités des dangers de penser en votre présence? Je me le demande, ajouta-t-il, plaisantin.

De toute évidence, il désirait détendre l'atmosphère. Elle eut un rire léger pour ne pas le décevoir. Puis, tandis que la voiture gravissait le chemin qui serpentait à travers la colline boisée de

Montvéal, elle résolut à l'avenir de ne plus prêter attention aux voix qu'elle entendrait. Ce phénomène étrange ne manquerait pas de se reproduire car elle était convaincue qu'il s'expliquait par l'ambiance particulière du château et la présence unique du duc. Elle devrait donc rester sur ses gardes et s'abstenir de s'immiscer dans la vie privée de son hôte. Cela ne pouvait que lui gâcher son séjour.

CHAPITRE IV

Le lendemain matin Yursa monta à cheval avec le duc, mais, cette fois-ci, deux amis se joignirent à eux. Ces derniers ne tarirent pas d'éloges sur ses qualités de cavalière et son maintien gracieux, à tel point qu'elle se sentit gênée. Elle aurait préféré de beaucoup se promener seule avec le duc, comme la veille. En effet, il lui avait rapporté une quantité prodigieuse de détails sur l'histoire et la géographie de son pays qui l'avaient fascinée. Sa conversation était si enrichissante! Elle languissait de se retrouver en tête à tête avec lui.

De retour au château, plusieurs invités ayant émis le souhait de visiter les serres du domaine, elle n'eut pas le temps de bavarder avec son hôte.

Elle s'extasia devant les innombrables variétés d'orchidées qui venaient de tous les coins du monde. Quant aux énormes massifs d'œillets Malmaison, ils embaumaient l'air bien avant que le petit groupe n'entrât dans la serre où on les cultivait. Le jardin d'herbes aromatiques qui, lui expliqua-t-on, existait à Montvéal depuis plus de trois cents ans, l'intéressa beaucoup. Il y avait tellement de choses à voir que lorsque l'heure du déjeuner arriva, il restait encore plusieurs serres à visiter.

Après le déjeuner, lady Helmsdale prévint Yursa que la mère du duc les attendait, chez elle. Ayant beaucoup de mal à se déplacer, la duchesse douairière ne quittait jamais son château qui se situait à trois kilomètres de Montvéal.

C'était une somptueuse demeure agrémentée d'un jardin à la française dont les petites haies de buis taillé et la symétrie des plates-bandes rappelaient le motif savant d'un tapis.

Comme Yursa s'y attendait, la mère du duc était une dame âgée mais fort bien conservée. Elle accueillit ses visiteuses à bras ouverts et s'écria en voyant Yursa :

– Comme vous ressemblez à votre mère!

La duchesse évoqua ses séjours en Angleterre du temps de sa jeunesse, séjours dont elle gardait un souvenir merveilleux, puis elle proposa à Yursa de visiter le château. La jeune fille eut le tact de comprendre qu'elle désirait s'entretenir seule avec sa grand-mère. Elle alla donc explorer les magnifiques salons meublés avec un goût exquis et décorés de tableaux qui – elle s'y connaissait suffisamment bien dans ce domaine pour s'en rendre compte – étaient de véritables joyaux de la peinture française.

– Elle est parfaite, dit la duchesse dès que Yursa quitta le salon. Que pense César?

L'impatience de la duchesse à voir son fils épouser Yursa, n'échappa pas à lady Helmsdale.

– En toute honnêteté, je l'ignore, Yvonne. Il est toujours aussi énigmatique. Du moins, cette femme a quitté le château.

– C'est ce qu'on m'a dit. Mais je me demande pour combien de temps.

– Je suis persuadée que César a parfaitement compris pourquoi j'ai amené Yursa avec moi en France.

– Je lui ai parlé avant votre arrivée et il m'a affirmé de façon catégorique qu'il n'avait aucune intention de se remarier. A la vérité, c'est à peine s'il a toléré que j'aborde ce sujet.

Elle se tut un instant avant de reprendre sur le ton de la confidence :

– Néanmoins, il paraît que Zélée de Salône est résolue à devenir sa femme. Cela m'inquiète.

Lady Helmsdale soupira.

– Je suppose qu'il fallait s'y attendre. Enfin, tout de même, César n'est pas insensé au point de se laisser prendre à ce piège!

– Comment savoir? Comment savoir ce qui se passe dans sa tête? répliqua la duchesse, visiblement abattue. J'aime mon fils et je souhaite son bonheur. Je suis sûre qu'il ne serait pas heureux avec cette créature diabolique, ce suppôt de Satan!

– Qu'est-ce qui te fait dire une chose pareille? interrogea lady Helmsdale, perplexe. Tu as déjà employé ces termes à plusieurs reprises et cela m'intrigue. Qu'est-ce qui te permet de traiter cette femme de suppôt de Satan?

– Il m'est difficile de te répondre. C'est surtout une impression. En tout cas, elle terrorise mes domestiques. Ils parlent d'elle d'une façon qui me laisse penser qu'ils en savent beaucoup plus long à son sujet qu'ils ne veulent l'admettre.

– Quoi par exemple?

– Si seulement je le savais! Alors je parlerais à César, je l'avertirais du danger qui le guette, quoique je doute fort qu'il accepterait de m'écouter!

– On ne traite pas quelqu'un de suppôt de Satan sans avoir une bonne raison, murmura lady Helmsdale.

Elle réfléchit un instant avant d'ajouter :

– Il est vrai que l'apparence même de cette femme dégage une impression étrange. A mon avis, elle a le charme inquiétant d'un serpent et son regard en amande vous met mal à l'aise. Néanmoins, il doit y avoir autre chose.

– Tu as raison, renchérit la duchesse. J'ai interrogé les vieux domestiques qui sont à mon service depuis des années et connaissent César depuis qu'il est né. En vain. Ils refusent de parler, ils détournent la tête et je sais que ce n'est pas d'eux que j'apprendrai la vérité sur cette créature.

– Vraiment toute cette histoire est bizarre... Si seulement César s'apercevait que Yursa ferait une épouse idéale, soupira lady Helmsdale avant de poursuivre sur un ton qui trahissait la vive tendresse qu'elle portait à sa petite-fille :

– Elle est douce, aimante, et comme elle n'a jamais rien vu de laid, ni connu quoi que ce soit de déplaisant, elle est pure et innocente.

– Tout ce que je désire chez ma future belle-fille, soupira à son tour la duchesse.

– Il ne nous reste plus qu'à prier pour que dans les jours à venir, César découvre les qualités de Yursa et oublie jusqu'à l'existence de Zélée de Salône.

– Ce démon fera tout ce qui est en son pouvoir pour se rappeler au bon souvenir de César, murmura la duchesse.

Il y avait dans sa voix une note indéniable de désespoir.

Sur le chemin du retour, Yursa demanda à sa grand-mère quelques précisions sur l'histoire de la Bourgogne et elle écouta ses explications avec la même attention profonde qu'elle avait portée à celles du duc.

En l'honneur de ses invités anglais, le duc avait fait servir un thé à l'orangerie. Lady Helmsdale apprécia l'excellent thé de Chine et Yursa se régala des délicieuses pâtisseries qui l'accompagnaient. Plusieurs invités français tombèrent d'accord pour reconnaître qu'un « thé à l'anglaise » constituait un véritable repas et déplorèrent que cette coutume ne devienne pas populaire en France.

Le duc qui avait quitté le château après le déjeuner, ne réapparut pas de tout l'après-midi. Pour passer le temps, Yursa alla visiter la galerie de tableaux qu'elle n'avait jusqu'à présent qu'entrevue. Il s'agissait, d'après ce qu'on lui avait rapporté, d'une des plus belles collections de France.

Tout en examinant avec attention les merveilleuses toiles de maîtres, elle se surprit à regretter l'absence du duc. Comme il aurait su émailler cette visite de détails pittoresques et passionnants!

Étant donné qu'on ne l'avait pas revu depuis le déjeuner, elle se demanda s'il n'était pas allé rendre visite à Zélée de Salône. La seule évocation de cette femme qui l'avait menacée avec une haine peu coutumière et avait tenté de lui jeter un sort, la fit frémir d'horreur... Une peur panique la saisit de nouveau. Non, à la réflexion, elle n'avait plus envie de voir les tableaux. Elle était incapable de rester seule. Elle monta donc à sa chambre plus tôt que d'habitude, elle y trouva Jeanne en train de préparer sa robe pour le dîner.

– Comme vous êtes moins nombreux ce soir, Mademoiselle, dit Jeanne, j'ai pensé que vous pourriez porter cette toilette-ci qui est ravissante mais un peu moins habillée que les autres.

La robe en question était en effet fort simple tout en possédant un chic, une élégance typiquement parisienne. Comme il s'agissait d'un modèle pour jeune fille, la tournure n'était pas volumineuse et consistait en fait en un large nœud de satin d'où tombait en cascade une multitude de ruchés. Le devant était drapé selon les exigences de la mode créée par Frederick Worth. Les manches courtes bouillonnées et le corsage plissé laissaient son cou et ses épaules nues.

Ainsi vêtue, Yursa ressemblait à une jeune déesse grecque. Comme elle n'avait pas de bijou, Jeanne lui noua autour du cou un étroit ruban de velours auquel elle fixa une petite orchidée en forme d'étoile que Yursa avait ramenée des serres.

– Vous êtes adorable, Mademoiselle! s'exclama Jeanne. A l'office on est tous d'accord pour dire que vous êtes la plus belle jeune fille que le duc ait jamais invitée au château.

– Merci, répondit Yursa quelque peu embarrassée. Vous êtes bien gentille et j'apprécie beaucoup de vous avoir à mon service.

– Soyez prudente, Mademoiselle, et priez votre ange gardien de veiller sur vous.

– Je suis sûre que c'est ce qu'il fait.

Yursa songea que ses prières dans la chapelle pour chasser de son esprit la maléfique Zélée de Salône avaient jusque-là été efficaces, car cette désagréable impression n'était pas revenue. Néanmoins, sa peur ne s'était pas pour autant dissipée.

— Vous aussi, Jeanne, vous devez m'aider, dit-elle soudain, saisie d'effroi à l'idée de se sentir de nouveau menacée. J'ai besoin de vos prières.

— J'ai déjà prié pour vous, Mademoiselle, répondit Jeanne. Nous sommes nombreux au château à prier pour vous. Tous ceux qui aiment le duc et veulent son bonheur.

Le sens de ces paroles n'était pas difficile à saisir. Il était clair que le personnel de Montvéal avait deviné la véritable raison qui avait poussé lady Helmsdale à amener sa petite-fille en France.

Yursa eut un sourire. Décidément il était impossible de cacher quoi que ce soit aux domestiques qui vous servent et vivent, pour ainsi dire, à vos côtés. Cela avait souvent amusé sa mère. Elle se souvint d'un jour où son père s'était demandé comment le personnel faisait pour être déjà au courant d'un événement d'ordre privé dont il venait à peine de prendre connaissance.

— Mon très cher Edward, avait expliqué sa mère, dans une maison même les murs ont des oreilles. Toutes les nouvelles passent d'abord par l'office avant de nous parvenir!

Son père avait ri à cette observation pleine d'humour dont Yursa avait eu l'occasion à maintes reprises, que ce soit avec sa nourrice, ses gouvernantes, le maître d'hôtel ou les laquais, de vérifier la pertinence.

Il était donc ridicule de se sentir embarrassée dans

la situation présente. Les domestiques de Montvéal qui adoraient leur maître, la prenaient pour une éventuelle fiancée qui venait en quelque sorte « à l'essai », de façon à ce qu'on puisse se rendre compte si elle ferait une duchesse convenable.

Cela pouvait paraître mesquin. Toujours est-il qu'il s'agissait de la stricte vérité.

Il était temps de rejoindre les autres invités pour le dîner. Comme elle descendait le grand escalier, le duc surgit du vestibule où donnait son bureau. Il leva la tête, l'aperçut et l'attendit au bas des marches.

— Avez-vous passé une bonne journée? s'enquit-il.

— J'ai fait la connaissance de votre mère.

— Je suis sûr qu'elle n'a pas manqué de vous faire mes louanges, dit-il, les yeux pétillants de malice.

Elle se mit à rire.

— Quelle idée!

— Je vous assure. Lorsque nous sommes seuls, ma mère est la sévérité même à mon égard, mais vis-à-vis des autres elle est mon adepte la plus enthousiaste.

Il souriait en disant ces mots et Yursa songea que quelle qu'ait été son occupation de l'après-midi, cela l'avait mis dans les meilleures dispositions du monde. Elle s'inquiéta soudain à l'idée qu'il était peut-être allé rendre visite à Zélée de Salône, et que, faisant fi de la réprobation générale, il entendait poursuivre cette liaison.

En vérité, le duc était allé inspecter un vignoble situé à l'écart du domaine. Il était mécontent du travail de l'intendant et comme il ne voulait pas lui demander de comptes en présence de ses invités, il avait préféré se rendre sur place. Là-bas la situation s'était révélée moins catastrophique que ce qu'il avait imaginé et le problème avait été rapidement résolu.

D'autre part, l'intendant lui avait montré de nouvelles améliorations qu'il avait jugées satisfaisantes, et lui avait appris que la récolte, à l'automne, serait particulièrement bonne. Les mêmes conditions optimales s'appliquaient à tous ses vignobles. Il était donc rentré en songeant que 1865 risquait fort d'être une année exceptionnelle pour le vin.

Si ses prévisions s'avéraient justes, ses gains seraient importants. Du coup, il se mit à réfléchir à la façon dont il emploierait cet argent. Sans doute s'offrirait-il deux tableaux dont il avait envie depuis quelque temps. Ces toiles de maître étant toutefois fort onéreuses, il avait jusqu'à présent hésité à faire cette dépense.

Après le dîner qui, comme d'habitude, fut délicieux, on installa au salon les tables de jeu, mais plusieurs invités qui désiraient se coucher de bonne heure, décidèrent de ne pas jouer. Ils habitaient d'autres régions de France et partaient tôt le lendemain matin pour rentrer chez eux. Il y avait également un ambassadeur et son épouse qui devaient regagner Paris.

Tout le monde bavarda donc au salon jusqu'à une heure raisonnable. Puis plusieurs dames déclarèrent qu'il était temps pour elles de se retirer. Sa grand-mère étant du nombre, Yursa fit de même.

Jeanne n'était pas dans sa chambre. Jugeant inutile de la sonner, Yursa alla à la fenêtre pour tirer les rideaux. La lune était pleine et le ciel, constellé d'étoiles, chatoyait comme une étoffe de soie moirée. Grâce au clair de lune, elle distingua les rubans argentés des rivières qui serpentaient à travers la vallée. Au loin, les tours du palais ducal de Dijon se dressaient, majestueuses. Un grand nombre de lumières semblaient briller par rapport à la veille.

On frappa timidement à la porte.

– Entrez, dit Yursa, pensant que c'était Jeanne.

La porte s'ouvrit et elle ajouta sans se retourner :

– Venez voir le clair de lune, Jeanne. Le paysage est enchanteur. C'est le plus beau du monde.

Comme la femme de chambre demeurait muette, Yursa tourna la tête et vit une inconnue.

– Je croyais que vous étiez Jeanne, dit-elle, surprise. Elle est donc de repos ce soir?

– Non, Mademoiselle. Mais elle s'est blessée et elle aimerait que vous veniez la voir.

– Mon Dieu! naturellement! Il s'agit d'un accident?

– Un accident, c'est beaucoup dire, Mademoiselle.

Elle s'est fait mal aux mains et saigne. Elle a pensé que vous sauriez quoi faire.

– J'arrive tout de suite. Avez-vous des bandes?

– Oui, Mademoiselle, j'ai tout ce qu'il faut. Si vous voulez bien me suivre.

Yursa emboîta le pas à la jeune domestique qui la guida rapidement le long d'un large vestibule, puis l'entraîna dans un petit escalier que Yursa découvrait pour la première fois. Elles longèrent ensuite un étroit couloir et empruntèrent d'autres escaliers chichement éclairés, détail inhabituel pour le château qui paraissait toujours illuminé. Yursa eut la vague impression, sans toutefois reconnaître le chemin, qu'elles se dirigeaient vers la chapelle. Après avoir descendu un dernier escalier, elles débouchèrent dans un hall minuscule plongé dans l'obscurité la plus complète et sur lequel donnait une porte extérieure. Cela signifiait-il que Jeanne s'était blessée dehors et non dans le château comme Yursa l'avait d'abord supposé?

Au moment où elle s'apprêtait à poser cette question à la servante, celle-ci ouvrit la porte. Yursa crut distinguer dans la pénombre la silhouette massive d'un homme. Ce dernier entra d'un pas vif, la bouscula et lui jeta une couverture sur la tête. Elle poussa un cri, mais sa voix fut étouffée par l'épaisseur de la toile rugueuse. L'homme la souleva et l'emporta dehors. Il la posa sans douceur sur quelque chose de dur et d'inconfortable, comme une planche de bois. Elle se débattit. En vain. Puis, le sol bougea sous elle. Il y eut un grincement de roues et le martèlement de sabots de chevaux.

Elle était dans une charrette et on l'emmenait loin du château! Le capuchon qui lui recouvrait la tête était si épais et si lourd que probablement personne ne l'entendait appeler au secours. Même ses ravisseurs ne devaient distinguer que des gémissements incohérents.

Elle sentit des mains autour de ses chevilles et comprit qu'on lui attachait les pieds. Une corde l'entoura à la taille et lui immobilisa les bras le long du corps. Les chevaux accélérèrent l'allure. La voiture la ballottait de plus en plus. Quelqu'un était assis près d'elle. Même si elle réussissait à se libérer de ses liens, il était impossible de s'échapper. Elle n'entendait aucun bruit de voix. Il n'y avait que le grondement des roues sur le chemin rocailleux et le claquement des sabots des chevaux.

« On vient de m'enlever », pensa-t-elle.

Inutile de se demander qui avait ourdi cette machination. Elle aurait pu deviner que ses menaces ayant échoué, Zélée de Salône aurait recours à un acte de violence pure.

Elle avait peur, tellement peur, qu'il lui semblait que son cœur allait cesser de battre. Rien, elle ne pouvait rien faire! Il ne lui restait plus qu'à suivre le conseil de Jeanne et prier son ange gardien de ne pas l'abandonner.

« Aidez-moi, aidez-moi », supplia-t-elle de toute son âme.

Au souvenir du regard chargé de haine de Zélée de Salône et des maléfices que cette créature jetait sur ses victimes, elle sentit l'effroi la glacer.

Les chevaux durent ralentir l'allure car le chemin devenait de plus en plus accidenté et ils finirent par marcher au pas. Soudain, la voiture s'immobilisa. Yursa entendit des voix de femmes. A cause de la toile qui lui recouvrait le visage, il lui était difficile de distinguer quoi que ce soit d'intelligible. Les voix semblaient réciter des chants ou plutôt les psalmo-dier en une langue étrange et incompréhensible.

Des bras solides la soulevèrent. On défit les liens de ses pieds, la corde qui emprisonnait ses bras, et on lui ôta le capuchon de toile. Elle cligna des yeux. Elle ne voyait rien. Elle venait de rester une quin-zaine de minutes dans le noir le plus complet – bien que le temps lui eût paru beaucoup plus long – et elle était paralysée de peur. Puis, elle distingua la lueur des torches et s'aperçut qu'elle se trouvait dans un bois. Plusieurs personnes, toutes des femmes, l'entouraient. Peu à peu, elle prit conscience de ces regards qui la dévisageaient fixement. C'étaient des paysannes, vêtues de robes élimées qu'elles gar-daient pour les travaux des champs. Leurs cheveux retombaient librement sur leurs épaules. Elles paraissaient jeunes mais il y avait trop peu de lumière pour en être sûre.

– Pourquoi suis-je ici? interrogea Yursa de plus en plus troublée par les litanies étranges qui s'échappaient des lèvres des paysannes. Pourquoi m'avoir amenée ici à cette heure de la nuit? A quoi rime cet enlèvement?

Elle aurait voulu parler avec fermeté, d'une voix haute et claire, mais sous l'effet de la peur, elle chuchota ces mots et eut l'impression de se montrer piteuse et presque enfantine. Les paysannes qui formaient un cercle autour d'elle, ne répondirent pas. Alors, une femme qui tenait une torche à la main, se détacha du groupe.

C'était Zélée de Salône.

Elle était différente de ce qu'elle était apparue au château, presque méconnaissable. Ses longs cheveux noirs qui, lorsqu'elle était l'invitée du duc, étaient relevés en chignon suivant la mode du moment, flottaient lâchement sur ses épaules. Sa robe offrait des détails insolites : plutôt courte, elle s'évasait au niveau des genoux, et une peau de bête était drapée en travers du buste et autour de la taille où un lien doré la maintenait. Épaules et bras étaient nus. Elle portait aux oreilles des anneaux d'or qui à chaque mouvement de tête lançaient des éclairs. Plusieurs bracelets cliquetaient autour de ses poignets et de ses chevilles. Elle était pieds nus.

Elle dardait un regard furieux et plein de haine sur Yursa. On eût dit qu'elle cherchait à l'hypnotiser.

– Pourquoi suis-je ici, Madame? questionna la malheureuse jeune fille d'une voix étranglée, rassemblant ses forces pour ne pas se laisser envoûter par cette créature maléfique.

– J'aurais cru que mes intentions étaient claires, répliqua Zélée. Je vous ai prévenue, mais vous avez délibérément refusé de m'écouter. Maintenant vous allez payer le prix de votre désobéissance à notre seigneur et maître.

Elle parlait avec une étrange exaltation. A la lumière des torches, Yursa vit que ses pupilles étaient dilatées et très sombres.

– Vous n'avez pas le droit de me retenir loin du château, bredouilla Yursa.

Zélée laissa échapper un rire inquiétant.

– Ce soir j'ai tous les droits. Je suis une servante de Satan. Quand notre maître appelle, il faut lui obéir. Ce soir, vous, la petite Anglaise, l'étrangère, vous avez l'honneur d'être offerte en sacrifice à notre maître, Satan. Alors, il nous accordera ce que nous lui demandons.

A ces paroles, un murmure d'excitation souleva les paysannes qui écoutaient. Zélée se retourna brusquement dans un tourbillon de sa jupe ample, et sans qu'aucun ordre soit donné, Yursa fut empoignée et obligée de la suivre. Elles s'enfoncèrent plus profond dans les bois et marchèrent jusqu'à une clairière où d'autres femmes tenant des flambeaux à la main, étaient assises par terre.

Yursa frissonna. Inutile de poser de questions. Il s'agissait d'un sabbat de sorcières. Que pouvait-elle faire? Rien, si ce n'est obéir.

En la voyant, les femmes qui récitaient en chœur des litanies se levèrent.

– Elle est là, cria Zélée en s'arrêtant au milieu du groupe. Voici le sacrifice que notre seigneur Satan, prince des ténèbres, exige. Nous lui apportons ce qu'il désire. Une Anglaise qui va payer pour le crime perpétré par les Anglais sur la personne de Jeanne d'Arc.

Les femmes acclamèrent ce discours avec une ardeur renouvelée et s'approchèrent de Yursa.

– Ne perdons pas de temps, reprit Zélée. Offrons-la en sacrifice afin qu'elle subisse le même sort que notre Jeanne, Jeanne pour qui la Bourgogne a pleuré des larmes de sang.

En remarquant l'étrange euphorie de son comportement, il vint soudain à l'idée de Yursa que Zélée de Salône avait pris une drogue quelconque. N'avait-elle pas entendu dire que parmi les plantes utilisées en sorcellerie, on usait souvent du pavot sauvage à partir duquel on extrait l'opium?

Zélée reprit sa marche. Alors, Yursa aperçut devant elle un poteau. Comme les paysannes la poussaient en avant, elle devina qu'on allait l'y attacher. Toutefois, ce n'est qu'en s'approchant que l'horreur du sort qui lui était réservé, lui apparut. Des fagots de bois mort étaient entassés tout autour.

On l'obligea à monter dessus et on la ligota au poteau. Une corde la serra à la taille, une autre lui lia les pieds. Saisie de terreur, elle comprit qu'on allait la brûler vive sur ce bûcher improvisé. Zélée criait et gesticulait. Les autres femmes, échevelées, avec une expression butée sur le visage, s'affairaient dans le sous-bois. Elles revinrent avec des brassées de brindilles et de feuilles sèches qu'elles jetèrent sur le bûcher.

Yursa avait l'impression de vivre un cauchemar dont elle ne parvenait pas à s'éveiller. Impossible de croire que les préparatifs qui se déroulaient sous ses yeux avaient réellement lieu. Impossible de croire que cette créature hystérique et droguée était Zélée de Salône, la maîtresse si élégante et si spirituelle du duc. Pourtant, il s'agissait bien d'une seule et même personne.

Zélée ne quittait pas des yeux Yursa qui serrait les lèvres et relevait le menton d'un air de défi. La jeune fille savait avec quelle satisfaction cruelle son bourreau aurait accueilli ses appels à la pitié.

– Pourquoi lui laisser sa robe alors que Jeanne est morte en chemise? s'écria soudain Zélée avec une frénésie redoublée, comme si elle ne pouvait plus contenir la haine qui s'accumulait en elle. Enlevez-lui sa robe! Déchirez-la! Mettez-la en pièces! Qu'elle ressemble à la garce qu'elle est!

Deux paysannes s'empressèrent d'obéir à ses ordres. Elles tirèrent sur le corsage plissé et sur les manches bouffantes de la robe. Une autre arracha la ravissante tournure de satin et la jupe drapée. Yursa se retrouva vêtue simplement d'une chemise et d'un jupon qui couvrait à peine ses jambes. Les lambeaux de tissu déchiré furent jetés sur les fagots de bois et recouverts des feuilles sèches que les paysannes avaient rapportées du sous-bois.

– Défaites ses cheveux, cria Zélée.

Deux femmes arrachèrent les épingles qui retenaient le chignon que Jeanne lui avait fait. Yursa eut une grimace de douleur mais elle s'obligea à ne pas crier. Ses cheveux tombèrent sur ses épaules, cachant un peu de sa nudité.

– Voilà qui est mieux, ricana Zélée. Maintenant elle est comme tout le monde. Elle ne fait plus peur à personne. Elle sera humiliée et détruite! Comme ces brutes d'Anglais, ces assassins qui ont fait mourir notre Jeanne!

De toute évidence, ce nom avait une signification particulière pour les jeunes sorcières qui le reprenaient en chœur comme l'on répète un slogan et applaudissaient à tout ce que disait Zélée.

– Ça suffit, maintenant, dit Zélée en se dressant de toute sa hauteur. Il est temps d'invoquer notre maître le roi, l'unique, le grand, celui en qui nous avons foi. Nous lui demandons de descendre parmi nous ce soir. Notre maître, Belzébuth, Adramelech, Lucifer, Satan, nous sommes tes esclaves. Viens parmi nous, viens, viens. Honore-nous de ta présence.

Les paysannes entonnèrent cette litanie. Désormais il n'y avait plus aucune retenue dans leur voix. Elles poussaient des cris stridents, hurlaient et s'agitaient en proie à une sorte de transe.

— Nous t'adorons, continua Zélée. Nous t'adorons, Satan. Nous sommes tes esclaves, tes disciples. Nous nous prosternons devant toi. Entends notre appel et viens à nous.

— Viens à nous, viens à nous, reprirent les femmes d'une voix perçante. Maître, nous t'adorons.

Yursa écoutait. La corde qui lui liait les pieds et les mains, s'enfonçait férocement dans sa chair. Derrière chaque mot scandé, derrière chaque respiration exhalée, elle sentait la présence maléfique de celui que les sorcières invoquaient. Alors, elle leva les yeux vers le ciel étoilé. Depuis sa plus tendre enfance elle croyait en Dieu et priait tous les soirs. Et sa mère, n'était-elle pas au paradis en train de veiller sur sa fille? Dieu entendrait sa prière et si elle mourait, Satan n'emporterait pas son âme.

Échapper au sort qu'on lui réservait était désormais impossible. Du moins elle mourrait en sachant que la mort n'avait pas d'importance. Elle appartenait au monde de la bonté et de la beauté. Ainsi, Satan ne pouvait avoir d'emprise sur elle. Elle avait l'impression que son être entier se tendait vers le ciel, vers les étoiles et que les saints la protégeaient. Le visage de sa mère lui apparut.

« Aidez-moi, maman, pria-t-elle. Aidez-moi à être courageuse. Empêchez-moi de crier et de m'humilier devant ces horribles femmes. »

Elle crut voir sa mère sourire. De nouveau elle entendit, par-dessus les hurlements des sorcières, les incantations de Zélée.

– Viens, Satan, viens, Belzébuth. Entends-nous. Nous t'attendons. Voici l'offrande que nous t'apportons. Voici l'Anglaise qui va mourir pour toi.

Yursa baissa la tête. Elle vit Zélée saisir une torche et se pencher en avant pour mettre le feu à la base du bûcher. Plus le feu brûlerait lentement, plus le supplice serait douloureux et effrayant.

Zélée fit le tour du bûcher, allumant brindilles et feuilles sèches qui s'enflammèrent aussitôt. Les flammes se mirent à lécher les premières bûches. La fumée commença à s'élever. Yursa se dit que si elle respirait profondément, son esprit serait comme engourdi et qu'ainsi elle sentirait peut-être moins la douleur.

« Aidez-moi, oh mon Dieu! aidez-moi », répétait-elle avec ferveur.

Elle regarda de nouveau les étoiles avec le sentiment que ces astres lointains, seuls témoins de son tourment, pourraient lui porter secours.

« Aidez-moi, aidez-moi. »

Maintenant les premières bûches étaient enflammées. A un ordre de Zélée, les sorcières se donnèrent la main et se mirent à danser autour du bûcher en criant leurs invocations à Satan. Les fagots de bois se mirent à craquer. Yursa savait que ce n'était qu'une question de minutes avant que le feu ne l'atteignît.

« Mon Dieu, aidez-moi, je vous en supplie... »

Elle ne pouvait que répéter les mêmes mots comme si les prières qu'elle avait apprises lui faisaient soudain défaut. Son esprit, son cœur et son âme étaient entièrement tournés vers le dieu de bonté auquel elle croyait.

Alors, comme les voix des sorcières devenaient de plus en plus perçante, Zélée s'écria, saisie d'extase :

– Il est ici, Satan est ici!

Yursa se sentit trembler malgré elle. Ces sorcières avaient-elles réellement le pouvoir d'invoquer le diable?

CHAPITRE V

Lorsque les invités se furent retirés, le duc se retrouva avec ses trois meilleurs amis qui étaient du même âge que lui.

– Qu'allons-nous faire pour passer le temps? demanda-t-il. Une partie de bridge, ça vous tente?

– J'ai une bien meilleure idée, répondit l'un d'eux. Un duel entre Henri et toi. J'adore vous voir croiser le fer tous les deux.

Le duc se mit à rire mais Henri, le vicomte de Soissons, répliqua d'un air sombre :

– Ce qui veut dire que comme d'habitude je serai battu!

– Tu peux toujours tenter ta chance, répliqua son ami en riant. D'ailleurs, pourquoi ne pas bander les yeux à César? Ainsi il aurait un handicap.

– On ne fera rien de tel, dit le duc. Allons choisir nos épées.

En plaisantant les quatre hommes quittèrent le salon. Au moment où ils atteignaient la salle d'armes, une des salles les plus intéressantes du château, un bruit de pas précipité les fit se retourner. Le duc reconnut Jeanne, la femme de chambre de Yursa qui, affolée, courait vers lui.

– Monseigneur, appela-t-elle. J'ai à vous parler, Monseigneur!

Les compagnons du duc entrèrent dans la salle d'armes et refermèrent la porte sur eux.

– Que se passe-t-il? répondit le duc sans cacher son agacement. Vous êtes Jeanne, n'est-ce pas?

– Oui, Monseigneur.

Elle fit une petite révérence. Il se rendit compte qu'elle était bouleversée.

– Eh bien, que voulez-vous?

– C'est Mademoiselle... Monseigneur... On l'a enlevée...

Le duc la toisa d'un air stupéfait.

– On a enlevé Mademoiselle? Qui « on »? De quoi parlez-vous?

Jeanne resta quelques instants muette, puis elle se signa et lâcha dans un souffle :

– Ce soir il y a un sabbat de sorcières...

A ces mots, le duc vit rouge.

– Un sabbat de sorcières? répéta-t-il avec colère. Quelle est cette plaisanterie?

– On a enlevé Mademoiselle, Monseigneur. On m'a retenue exprès à l'office. Quand j'ai enfin réussi à m'échapper, j'ai vu la nouvelle domestique emmener Mademoiselle par l'escalier du Cardinal... Je la soupçonnais d'en être une... de sorcière...

112

Le duc avait du mal à croire qu'il ne rêvait pas.
Jeanne eut un sanglot et poursuivit :

– J'ai tout vu, j'ai tout vu. J'étais en haut des escaliers, Monseigneur. On a jeté une couverture sur Mademoiselle et on l'a poussée dans une charrette qui attendait dehors.

Il comprit que Jeanne disait la vérité. Elle tremblait de tous ses membres, l'implorait du regard et les larmes roulaient sur ses joues.

– Où l'a-t-on emmenée?

– On me tuera... si on apprend que je vous ai prévenu...

– Vous êtes sous ma protection. Mais vite, où a-t-on emmenée Mademoiselle?

– Au bois du Dragon, chuchota la servante en se signant une fois de plus.

– Ne craignez rien. Vous avez eu raison de me parler.

Il se rua dans la salle d'armes et appela ses amis avec une urgence dans la voix qui les surprit :

– Vite, venez avec moi. Une horrible catastrophe risque de se produire si nous arrivons trop tard. Allons chercher nos montures. Nous n'avons pas le temps de nous changer.

Tout en parlant, il saisit une rapière qui était accrochée au mur. Puis, suivi de ses trois compagnons, il gagna en courant les écuries.

La fumée s'élevait autour de Yursa. Elle entendait le feu craquer presque gaiement et sentait la chaleur sous ses pieds. Elle leva la tête vers le ciel constellé d'étoiles. La lune éclairait le paysage de son brillant faisceau argent.

Les prières qu'elle murmurait étaient très simples. Elle ne suppliait plus Dieu de la sauver, sachant que c'était désormais impossible, mais demandait qu'il lui insuffle le courage nécessaire pour supporter cette épreuve terrible. Elle pensait à Jeanne d'Arc dont la bravoure avait confondu ses meurtriers anglais : n'avait-elle pas prié jusqu'à la fin, les yeux tournés vers le ciel?

« Que tout aille vite, je vous en prie, mon Dieu, que tout aille vite! » implorait-elle.

Elle avait le sentiment que Dieu l'entendait et que sa mère non plus ne l'abandonnait pas. La frénésie des sorcières en transe grandissait, leurs cris devenaient plus stridents. On eût dit qu'elles étaient possédées du démon. Yursa s'efforçait de ne pas prêter attention à leurs incantations furieuses et de penser au contraire aux anges qui, elle en était sûre, l'accompagneraient jusqu'à la mort.

– Le maître est ici, Lucifer est parmi nous, s'écria soudain Zélée. Il a entendu notre prière, il a entendu notre appel.

Secouée par un frisson d'effroi, Yursa ferma les yeux. Elle avait peur de voir Satan et se remit à prier avec une énergie désespérée.

« Je vous en supplie, mon Dieu, sauvez-moi,

Vierge Marie, mère de Dieu, sauvez-moi. Ne laissez pas le diable s'emparer de moi. »

Elle sentit alors la chaleur s'intensifier. Il était inutile de regarder. Le feu avait gagné tous les fagots et les flammes commençaient à s'élever.

– Satan, notre maître, tu es avec nous, nous nous prosternons à tes pieds, scandaient les paysannes.

– Lucifer, prince des ténèbres, mon seigneur, mon maître, je suis à toi, s'exclama Zélée en ouvrant les bras comme si elle s'apprêtait à étreindre son amant maléfique.

Les cris des sorcières guidèrent le duc à travers le bois du Dragon. Il déboucha au galop dans la clairière, brandissant son épée, ses trois amis le talonnant de près. D'un regard, il embrassa la scène et comprit ce qui se passait. Sautant à terre, il s'avança vers les paysannes qui, saisies de crainte, reculèrent précipitamment. Quand elles reconnurent le duc, elles se mirent à courir en tous sens et disparurent dans le bois sombre. Seule Zélée resta, le défiant du regard. Il l'ignora et se mit à donner des coups de pied dans le bûcher pour écarter les fagots en flammes et délivrer Yursa.

– Vous arrivez trop tard, ricana Zélée. Elle est sacrifiée à Satan. Il l'a prise et...

Elle n'eut pas le temps de terminer sa phrase. Dans sa hâte à aider le duc, Henri de Soissons la bouscula et elle tomba au sol. Il se mit lui aussi à envoyer de grands coups de pied dans les bûches, bientôt suivi par ses deux autres amis. Ils n'avaient pas pris la peine d'attacher leurs montures. Il n'y avait pas de temps à perdre s'ils ne voulaient pas que Yursa soit brûlée vive.

Ce fut le duc qui arriva le premier auprès d'elle. Il coupa ses liens avec son épée qu'il jeta ensuite à terre, prit la jeune fille dans ses bras et l'emporta loin des flammes. A demi asphyxiée par la fumée, hébétée et encore paralysée de peur, c'est à peine si elle se rendit compte que ses prières et la miséricorde de Dieu venaient de la sauver.

Le duc se dirigea vers les chevaux qui s'étaient regroupés d'un côté de la clairière. Comme il était désormais inutile de s'acharner sur le feu qui s'éteindrait tout seul, Henri se précipita pour tenir l'étalon de son ami. Celui-ci assit Yursa en selle et monta derrière. Puis, il saisit les rênes de sa main droite et entoura la jeune fille de son bras gauche.

– Que faisons-nous vis-à-vis de ces femmes? s'enquit Henri.

Le duc lança un coup d'œil autour de lui. Dans la clairière il ne restait que Zélée gisant encore à terre, qui, telle une tigresse aux abois, dardait sur lui un regard sombre et furieux.

– Laissez-les, répondit-il au vicomte. Elles ne peuvent plus nuire à personne ce soir.

Tout en parlant il fit faire demi-tour à son cheval et reprit le chemin du château qui passait par le bois. Après avoir conféré entre eux, ses trois compagnons le suivirent.

Le duc avançait au pas et avec précaution car Yursa dont la tête reposait sur son torse, était encore sous le choc de la terrible aventure qu'elle venait de vivre. Ses cheveux d'or recouvraient ses épaules nues, son jupon que les sorcières avaient arraché était en lambeaux et ses pieds portaient des traces de brûlures qui ne tarderaient pas à être douloureuses.

Il était fou de colère. Sa mâchoire était contractée et ses lèvres serrées ne formaient plus qu'une ligne mince. Comment une pareille atrocité avait-elle pu se produire? Sur ses propres terres et mettant en danger la vie d'une de ses invitées?

Au sortir du bois du Dragon, Montvéal apparut aussitôt devant eux. Yursa remua et dit d'une voix faible, à peine audible :

– Vous... m'avez... sauvée...

– Avec l'aide de Dieu et grâce aussi au bon sens de Jeanne qui a assisté à votre enlèvement et a eu la présence d'esprit de me prévenir.

– La nouvelle servante a prétexté que Jeanne s'était blessée et me réclamait. En réalité, Mme de Salône voulait ma mort...

– Je m'occuperai d'elle plus tard. Maintenant, Yursa, il faut tâcher d'oublier cet accident. Je vous promets que plus rien de ce genre ne vous arrivera.

Il la sentit trembler tandis qu'elle demandait :

– Comment pouvez-vous en être sûr? Elle ne

renoncera pas. Elle souhaitera toujours ma mort.

— Cela, je ne le permettrai jamais. Il faut me faire confiance.

— J'avais tellement peur.

— Lorsque je vous ai vue, les yeux tournés vers le ciel, je me suis dit que vous seule pouviez avoir autant de courage et de dignité.

A travers le brouillard qui enveloppait son esprit, de sorte qu'elle était incapable de penser clairement, elle remarqua néanmoins la gentillesse et la note d'admiration qui perçaient dans la voix du duc. Alors, comme un enfant qui se rend soudain compte qu'il est sain et sauf, elle se mit à pleurer. Des larmes silencieuses coulèrent d'abord sans qu'elle puisse les retenir, puis, ce fut comme une tempête. Son corps fut secoué de sanglots convulsifs.

— Tout va bien, dit-il d'un ton apaisant. Tout va bien désormais. Je vous promets sur ce que je tiens de plus sacré au monde que vous ne serez plus jamais en danger.

Il la sentait cependant tellement bouleversée qu'il devinait qu'elle ne l'entendait pas.

Ils atteignirent enfin le château. Devant le perron attendaient les palefreniers qui, une heure plus tôt, avaient sellé les chevaux pour leur maître et ses amis avec une diligence encore jamais égalée. Le duc mit pied à terre en tenant Yursa dans ses bras. Il gravit les marches du perron et trouva, comme il l'avait prévu, Jeanne dans le hall d'entrée.

– Vous l'avez sauvée, Monseigneur! s'écria cette dernière. Vous l'avez sauvée!

– C'est grâce à vous qu'elle vit encore, répondit-il. Elle est assez gravement blessée néanmoins.

Il monta le grand escalier en serrant contre son cœur son précieux fardeau. Yursa avait cessé de pleurer, mais elle s'agrippait à lui avec le désespoir de ceux que la peur habite. Jeanne qui l'avait précédé en courant, ouvrit la porte de la chambre. Il étendit avec précaution la jeune fille sur son lit. Un murmure de protestation échappa à Yursa comme si elle ne voulait pas qu'il la laissât.

– Jeanne va s'occuper de vous, expliqua-t-il sans être sûr d'être compris. Je reviendrai vous voir lorsqu'elle aura pansé vos blessures et qu'elle vous aura couchée.

Elle l'implorait du regard. Son visage portait les traces de ses pleurs et ses longs cils étaient mouillés de larmes. A la douce lumière des bougies, il la trouva ravissante.

Il ne s'attarda pas, sachant qu'elle était encore traumatisée et avait surtout besoin de soins et de repos. Il la laissa donc en compagnie de Jeanne, et redescendit au rez-de-chaussée rejoindre ses amis. Comme il s'y attendait, ceux-ci s'étaient installés au salon. Quand il entra, ils avaient une flûte de champagne à la main.

– Si je n'avais pas vu ce bûcher de mes propres yeux, César, je ne croirais pas que cela existe dans notre monde civilisé, dit le vicomte.

119

– Il y a encore des sorcières dans tout le pays, dit le duc, mais à ma connaissance, c'est la première fois qu'un sabbat a lieu sur mes terres.

La colère l'étranglait tandis qu'il prononçait ces mots.

– Enfin, dit un de ses amis en lui tendant une coupe de champagne, tu as sauvé cette malheureuse jeune fille. Quelle conduite vas-tu adopter vis-à-vis de Mme de Salône?

– Que puis-je faire? interrogea le duc d'un air sombre.

Il but une gorgée de champagne et ajouta :

– Nous avons tous assez de bon sens pour comprendre que moins nous parlerons de cette histoire, mieux cela vaudra.

Comme ses compagnons approuvaient d'un signe de tête, il poursuivit :

– Je vais vous demander votre parole d'honneur de ne rapporter à personne – et j'insiste bien, à personne – les événements de cette nuit.

Pendant quelques secondes, les trois hommes se concertèrent du regard.

– Tu as raison, dit enfin Henri de Soissons. Ce serait une erreur de parler. En outre, si les gens l'apprenaient et que la presse se saisît de l'affaire, cela risquerait de porter préjudice à lady Yursa.

– C'est aussi mon avis, renchérit le duc. Nous pouvons être certains d'une chose : les domestiques se tairont. Ils ont beaucoup trop peur des sorcières.

– Toutefois, c'est une femme de chambre qui est venue te prévenir qu'on avait enlevé lady Yursa, observa Henri.

– Elle ne parlera pas. Elle a eu le courage de sauver lady Yursa mais elle est terrorisée à l'idée qu'on apprenne qu'elle a donné l'alerte.

– Je suis sûr que tu as raison, César, affirma le vicomte.

Sa coupe de champagne terminée, le duc retourna auprès de Yursa sans oublier de lui monter un verre de cognac dilué avec un peu d'eau. Il trouva Yursa couchée dans son lit.

– Je veux que vous buviez ceci, dit-il en plaçant un bras sous la tête de la jeune fille pour l'aider à se relever.

Obéissante comme une enfant, elle s'exécuta. Elle avala quelques gorgées d'alcool, puis leva la main.

– Une dernière gorgée, insista le duc, avant de reposer le verre. J'ai à vous parler, dit-il à Jeanne.

Il pressa la main de Yursa et ajouta doucement :

– Je reviens.

Elle parut le comprendre.

Jeanne le suivit dans le boudoir attenant à la chambre, lui jetant de regards timides et pleins d'appréhension.

– Je vous suis infiniment reconnaissant pour votre courage, Jeanne, dit-il, car grâce à vous, Mademoiselle Yursa est saine et sauve.

Sans interrompre son maître, la servante étouffa une exclamation et joignit les mains.

– Pour vous récompenser je vous donnerai une somme d'argent qui vous servira de dot le jour où vous aurez l'intention de vous marier.

– Merci, Monseigneur, répondit Jeanne, la voix étranglée par l'émotion. Je suis heureuse que Mademoiselle ait pu être sauvée. C'est une mort cruelle que ces sorcières lui réservaient.

– En effet, dit le duc. J'aimerais que vous me promettiez de ne parler de cette histoire à personne du château ou de votre famille. Mes amis ont juré de garder le silence sur cette triste affaire.

Il lut dans le regard de la servante avec quel soulagement elle accueillait sa requête. Il avait vu juste : elle redoutait la vengeance des sorcières.

– Par conséquent, vous comprendrez, reprit-il, que je ne souhaite pas appeler un médecin qui poserait des questions embarrassantes sur l'état de Mademoiselle.

– Je vous le jure, Monseigneur, jamais je ne parlerai, murmura Jeanne.

– Merci, et encore une fois, vous avez toute ma gratitude.

Il retourna dans la chambre. Jeanne le laissa seul en compagnie de sa maîtresse. Il s'assit au chevet de Yursa et lui prit la main.

– Tout est fini, dit-il d'un ton rassurant. Maintenant il faut vous rétablir très vite.

Il sentit la main de Yursa trembler dans la sienne.

– J'ai fait promettre à Jeanne et à mes amis de garder le secret sur cette déplaisante affaire. Personne ne doit savoir. Vous comprenez? Demain vous devez être courageuse et affronter le monde comme si de rien n'était.

– Mais ce n'était pas un cauchemar, dit-elle dans un souffle.

– Tâchez de dormir. Tout vous paraîtra différent après une nuit de repos. Demain nous en reparlerons.

Il lui sourit, de ce sourire que les femmes trouvaient irrésistible, prit sa main et y déposa un baiser. Il crut lire de la surprise dans son regard.

– Bonne nuit, Yursa, dit-il en se levant. Vous savez mieux que moi que votre ange gardien vous protège.

Sur ces mots, il quitta la pièce.

– Merci, mon Dieu, murmura Yursa, les paupières fermées, et merci, maman. Je sais que c'est vous qui avez envoyé le duc à mon secours.

Le lendemain matin Jeanne expliqua à lady Helmsdale que sa petite-fille ayant passé une nuit blanche, elle avait insisté pour qu'elle garde le lit.

– Une nuit blanche? releva la grand-mère de Yursa. Voilà qui ne lui ressemble guère.

123

– A mon avis, Mademoiselle a mangé quelque chose qui lui a fait mal, expliqua Jeanne. Il y avait des huîtres au dîner hier soir. Elles étaient fraîches mais une mauvaise suffit à vous rendre malade. Cela arrive parfois.

– C'est vrai, concéda lady Helmsdale. Dites à ma petite-fille de faire la grasse matinée et si vous pouviez la persuader de dormir jusqu'au déjeuner, ce serait encore mieux.

– Je ferai mon possible, Madame, répondit Jeanne.

Elle fit une petite révérence et quitta la pièce.

Yursa s'octroya une heure environ de sommeil supplémentaire, puis, avec effort, dit à Jeanne qu'elle devait se lever. Ne serait-ce pas une erreur de s'attarder trop longtemps dans sa chambre? Les amis et parents du duc risquaient de se poser des questions sur les causes de son malaise. En outre le duc mépriserait sa lâcheté. Il devinerait qu'elle était terrifiée à l'idée d'affronter l'extérieur après les événements de la nuit. En vérité, plus que tout au monde, elle aurait voulu rester cachée dans sa chambre et ne pas devoir répondre à des questions gênantes.

Une de ses chevilles la faisant souffrir, Jeanne lui fit un pansement et suggéra de dire qu'il s'agissait d'une mauvaise piqûre de moustique.

– C'est une chose tout à fait plausible, Mademoiselle, ajouta-t-elle. De toute façon, on va vous trouver une robe bien longue qui cachera vos pieds. Comme ça, personne ne remarquera la bande.

Elle aida donc Yursa à revêtir une jolie robe blanche garnie de broderie anglaise que sa grand-mère lui avait ramenée de Paris. Un ruban de velours bleu passé dans des œillets achevait de souligner la grâce simple de ce modèle. Une large bande d'étoffe de velours assorti se nouait autour de la taille menue. Comme dans ses autres toilettes, la tournure était petite mais seyante.

Tout en s'habillant, Yursa s'efforça de ne pas penser à la jolie robe que les sorcières avaient mise en lambeaux et brûlée sur le bûcher. Le seul souvenir de cette nuit effroyable suffisait à la faire frémir. Pour se donner du courage elle regarda le soleil qui perçait à travers les vitres, le vase rempli d'orchidées aux couleurs délicates, posé sur sa coiffeuse, et le bouquet de roses, sur la ravissante commode en marqueterie, qui embaumait l'air.

Elle descendit l'escalier lentement en se tenant à la rampe et entra la tête haute au salon où tout le monde s'était réuni avant le déjeuner. Seuls le duc et ses trois amis remarquèrent la pâleur de son teint et les cernes, qu'elle n'avait habituellement pas, sous ses yeux. Les autres invités bavardaient entre eux.

– Tu te sens mieux, ma chérie? s'enquit lady Helmsdale comme Yursa s'approchait d'elle.

– Je suis tout à fait remise, grand-mère.

– Ta femme de chambre pense que tu as mangé quelque chose qui t'a fait du mal.

– Sans doute.

Au déjeuner, le duc observa qu'elle faisait l'effort de bavarder avec ses voisins de table. Il apprécia à part lui son courage et son sang-froid. Le repas terminé, tout le monde décida de partir en promenade, sauf Yursa et le duc. Celui-ci n'accompagna pas ses invités et prétexta avoir promis à Yursa de lui montrer sa galerie de tableaux. Il se dit qu'il serait plus reposant pour cette dernière de passer l'après-midi sans avoir à parler et à faire bonne contenance.

– Il faut que je raconte à ma jeune invitée l'histoire de mes tableaux, dit-il.

– En toute franchise, César, remarqua une amie, je préfère de loin me promener dans la calèche que tirent vos superbes chevaux. Je les connais par cœur vos anecdotes sur les trésors de votre famille!

– Et de toute évidence, vous les avez trouvées profondément ennuyeuses, répliqua-t-il.

– A moins que ce soit vous qui n'ayez pas su les rendre intéressantes, répondit-elle avec un sourire provocant.

Le duc se mit à rire.

Lady Helmsdale se retira dans sa chambre pour écrire des lettres. Quand ils se retrouvèrent enfin seuls, le duc se tourna vers Yursa.

– Avant d'aller voir les tableaux, j'aimerais vous

parler. Venez, nous serons plus tranquilles dans mon bureau.

Ils se dirigèrent vers l'appartement privé du duc. Yursa s'assit sur la banquette recouverte de velours, dans le renfoncement de la grande fenêtre. Les rayons du soleil jouaient dans ses cheveux et le duc songea en la rejoignant qu'il n'avait jamais vu une jeune fille à la beauté aussi pure. En outre, en dépit des épreuves qu'elle venait de subir, elle paraissait calme, presque sereine.

– Vous avez fait preuve d'un courage exceptionnel, Yursa, dit-il. Bien qu'il me semble préférable de ne pas nous attarder sur ce sujet, je voudrais vous mettre au courant des dispositions que j'ai prises par rapport aux événements d'hier soir.

Elle lui jeta un rapide regard avant de détourner la tête, visiblement intimidée.

– J'ai rendu visite à Mme de Salône ce matin. Je lui ai fait savoir qu'elle ne devait plus jamais mettre les pieds à Montvéal ni sur aucune autre de mes propriétés, et que si elle tentait de nouveau de vous faire du mal, à vous ou à qui que ce soit de mes amis, je la traînerais en justice. Elle serait condamnée à une longue peine de prison.

Yursa retenait son souffle.

– Vous a-t-elle cru? s'enquit-elle après un silence.

– Encore heureux qu'elle m'ait cru! rétorqua le duc avec dureté.

127

– Elle doit être très... fâchée.

– Elle a compris que je ne parlais pas à la légère. C'est l'essentiel.

Il fit une pause et ajouta :

– Il faut me pardonner mon aveuglement, Yursa. Mais comment aurais-je pu imaginer, comment aurais-je pu deviner que Mme de Salône se livrait à la sorcellerie?

Il y eut un silence.

– Elle est... diabolique, fit Yursa dans un souffle.

– Je m'en rends compte maintenant, avoua le duc. Quel inconscient ai-je été de ne pas m'apercevoir plus tôt de la cruauté de cette femme!

Il se tut, puis reprit avec une sincérité touchante :

– Ce cauchemar est fini et je souhaite que vous l'oubliez.

– Je ferai de mon mieux.

– Peut-être serait-ce plus facile si j'étais toujours à vos côtés pour vous protéger. Vous vous sentiriez plus en sécurité si je ne vous quittais jamais?

Voyant à son expression qu'elle ne comprenait pas le sens de ses paroles, il ajouta doucement :

– Je vous demande de bien vouloir m'épouser, Yursa? Je vous protégerai et vous rendrai heureuse.

Il pensait que ces mots agiraient comme un véritable sésame. Il s'attendait à ce que le regard de la jeune fille s'éclaire aussitôt, chassant ainsi la pâleur de son teint et les dernières traces du choc effroyable qu'elle venait de subir. Toutefois, Yursa détourna la tête, mal à l'aise, et regarda par la fenêtre.

– Je vous demande de m'épouser, répéta-t-il comme elle s'obstinait dans son silence.

– Je sais, répondit-elle sans oser croiser son regard. Ne vous méprenez pas... Je suis bien sûr honorée... Je sais que c'est le vœu le plus cher de ma grand-mère, mais je vous en prie, j'aimerais rentrer chez moi.

– Je comprends votre désir, mais avant de repartir pour l'Angleterre, voulez-vous bien que nous mettions votre grand-mère dans le secret de nos fiançailles?

Elle serra ses mains l'une contre l'autre et lança un coup d'œil furtif au duc avant de baisser la tête.

– Je suis navrée si mon attitude vous blesse, bredouilla-t-elle. Je sais combien vous êtes important, quels liens unissent ma grand-mère à votre famille, quelle place elle accorde à ce château, mais je ne peux pas vous épouser.

– Vous ne pouvez pas m'épouser? répéta-t-il avec le sentiment d'être idiot.

La surprise le laissait sans réaction. Jamais de sa vie il n'avait envisagé qu'une femme à qui il proposerait le mariage, puisse le repousser. Depuis des

129

années, sa mère, soutenue dans cette lutte par le reste de sa famille, le harcelait pour qu'il se remarie. Il ne lui était pas venu à l'idée que celle qu'il choisirait comme épouse ne veuille pas de lui.

— Je... je suis désolée, vraiment, répéta Yursa. Vous êtes plein de qualités et je vous serai éternellement reconnaissante de m'avoir sauvé la vie, mais je veux m'en aller...

— Je comprends, dit-il. Vous avez eu peur. Je possède cependant plusieurs propriétés où vous pourriez vous reposer. D'autre part, nous aurons une longue lune de miel pendant laquelle nous visiterons différents coins du monde.

Il ajouta avec un sourire :

— Je suis convaincu qu'à notre retour vous apprendrez à aimer Montvéal autant que je l'aime.

De nouveau un silence pénible s'installa entre eux. Il devina qu'elle cherchait ses mots pour lui répondre avec le plus de franchise possible. Il voulut prendre sa main. Elle s'écarta de lui.

— Ce n'est pas seulement à cause du château, fit-elle d'une voix faible et hésitante, ni même à cause de Mme de Salône... Voyez-vous, je ne vous aime pas.

— Vous ne m'aimez pas? répéta le duc.

De nouveau la stupeur le rendait muet.

Les femmes l'avaient toujours aimé. Ce phénomène lui paraissait naturel et il ne l'avait jamais remis en question. Peut-être était-il prétentieux. Il

130

n'avait jamais pensé que si une femme lui plaisait, ce sentiment pouvait ne pas être réciproque.

Yursa se leva.

– Je vous en prie, ne m'en veuillez pas. Je suis flattée de votre demande en mariage. Seulement je ne vous désire pas pour mari...

Sa voix trembla en prononçant ces derniers mots, et comme le duc la regardait d'un air consterné, elle quitta la pièce en courant. Il n'eut pas le temps de la retenir. Il entendit le bruit de ses pas résonner dans le couloir et comprit qu'elle montait à sa chambre.

Alors, il se dit qu'il s'était conduit comme un idiot. Comment avait-il pu parler de mariage à la malheureuse jeune fille qui subissait encore le choc de sa mésaventure? Vu les circonstances, il était légitime qu'elle ait la réaction de fuir le château afin d'oublier les événements tragiques qui venaient d'y avoir lieu.

Pourtant quelque chose le chiffonnait. Il ne fallait pas se leurrer. Si elle refusait de l'épouser, ce n'était pas à cause de ce qui s'était passé, mais à cause de lui. Elle ne l'aimait pas! Et pourquoi l'aimerait-elle? Il s'aperçut alors qu'il aurait dû faire preuve de plus de délicatesse – et en tout cas de plus d'intelligence – et courtiser Yursa avant de la demander en mariage.

Il avait été parfaitement conscient du secret espoir que nourrissait lady Helmsdale en arrivant à Montvéal avec sa petite-fille. Au départ, cela l'avait amusé de voir qu'on lui tendait un piège de plus dans le but de le prendre dans les filets du mariage. Néanmoins, il ne tarda pas à découvrir que Yursa était très différente des autres jeunes filles qu'on lui avait présentées jusque-là.

Pour commencer, elle était d'une beauté extraordinaire, qui dépassait de loin tout ce qu'il aurait pu imaginer. Ensuite, elle était intelligente. Enfin, elle le surprenait, l'intriguait au plus haut point parce qu'elle était capable de lire ses pensées. La veille au soir, après l'avoir sauvée in extremis du trépas auquel la condamnait Zélée de Salône, il avait brusquement compris qu'elle possédait tout ce qu'il désirait trouver chez une épouse. Son innocence, sa pureté, son courage hors du commun le touchaient au plus profond de lui-même. C'était un sentiment qu'il n'avait encore éprouvé pour aucune femme.

Lorsqu'il l'avait ramenée au château, elle ne s'était pas accrochée à lui de cette façon aguichante que les femmes désireuses de le séduire usaient en général avec lui. Si tel avait été le cas, il l'aurait embrassée afin d'effacer tous les malheurs qu'elle venait de subir. Or, Yursa s'était réfugiée dans ses bras comme une enfant se blottit contre l'épaule protectrice de son père ou de sa mère.

Le duc se leva et regarda sans voir le jardin par la fenêtre.

– J'ai agi comme un sot, se dit-il, et un vaniteux qui plus est.

Il était tellement sûr que Yursa elle-même était venue à Montvéal avec l'intention de l'épouser. Or, pour la première fois de sa vie, il venait de rencontrer quelqu'un qui ne voulait pas de lui. S'il désirait Yursa, c'était animé d'un sentiment nouveau pour lui. Une réelle harmonie existait entre eux. Leurs pensées correspondaient étonnamment. Il savait qu'elle le comprendrait et aurait plaisir à l'aider à gérer ses biens. Elle comprendrait aussi les responsabilités qui lui incombaient en tant que chef de famille. La politesse et le respect dont elle avait fait preuve à l'égard de ses invités plus âgés, ne lui avaient pas échappé. D'ailleurs, la plupart de ses amis lui avaient chanté les louanges de la jeune fille. Il savait que c'était une façon d'exprimer leur approbation pour ce qui leur paraissait une union inévitable. Cette attitude avait eu pour effet de renforcer sa détermination à ne pas renoncer trop vite à sa liberté de célibataire, bien qu'il se fût rendu compte des qualités exceptionnelles de Yursa.

Désormais il savait qu'elle était l'épouse qu'il désirait.

– L'ennui, c'est qu'elle ne veut pas de moi!

Il se répéta plusieurs fois ces mots qu'il avait tant de mal à croire.

Jusqu'à présent toutes les femmes qu'il avait connues, même celles qui étaient mariées, avaient toujours affirmé qu'il incarnait l'homme idéal à leurs yeux. Combien de fois, vibrants du feu de la passion qui les consumait, il avait entendu sa maîtresse du moment lui murmurer dans un souffle :

– Oh, César, si seulement nous nous étions rencontrés avant mon mariage! Comme tout aurait été différent alors!

Il se disait alors non sans cynisme que l'irrésistible désir qu'il éprouvait pour la créature qu'il tenait dans ses bras, il ne l'aurait certainement pas ressenti pour la jeune fille qu'elle avait été. Il ne l'aurait sans doute même pas remarquée. Et dans le cas contraire, il ne l'aurait jamais demandée en mariage.

Or, après plusieurs années passées à opposer un refus catégorique à sa mère qui tentait de le raisonner, il venait enfin de se décider à se remarier et contre toute attente il avait tout gâché.

« Il faut recommencer à zéro », songea-t-il. « Je dois courtiser Yursa. C'est ce que j'aurais dû faire dès le début. Je suis certain qu'elle s'éprendra de moi. »

Avec complaisance et un évident contentement de soi, il réfléchit au nombre de femmes qui s'étaient données à lui et l'avaient aimé avec passion, ce qui ne l'avait pas empêché de se lasser de leurs attentions. Elles avaient voulu le prendre dans leurs filets, faire de lui leur esclave. Par réaction, pareil à un animal sauvage, il s'était précipité vers la porte de la liberté.

A la réflexion, il s'aperçut que Yursa n'avait jamais montré le moindre signe de désir envers lui. Elle avait écouté avec l'attention d'une élève studieuse et passionnée par l'histoire ses récits sur la Bourgogne et sur les trésors qu'abritait Montvéal. Avait-elle jamais eu une parole, un regard équivoque qui auraient laissé entendre qu'il l'avait séduite? Autant qu'il s'en souvienne, non.

« Comment ai-je pu à ce point manquer de finesse? » se dit-il en colère contre lui-même. « Quel sot je fais! »

Pour la première fois de sa vie, César de Montvéal se livra à un examen de conscience sans complaisance et ne jugea pas le résultat de cette analyse très brillant. Il possédait certes toutes les richesses matérielles possibles et imaginables. Néanmoins, au cours de ces dernières années, depuis la maladie et le décès de son épouse, il avait peu à peu négligé l'aspect spirituel de sa vie.

Lorsqu'il était adolescent et, à vrai dire, jusqu'à son mariage, conscient de la place privilégiée qu'il occupait au sein de la société, il avait défini certains idéaux de bonté et de justice qu'il s'était mis en tête de réaliser. Il était habité par une foi en Dieu qu'il se plaisait à croire inébranlable. Il avait également eu l'ambition d'assister, d'inspirer et de guider tous ceux qui attendaient de lui secours et conseil. Ce n'était pas le devoir qui lui dictait sa conduite, mais le désir profond de faire le bien.

Néanmoins, le chemin de la facilité sur lequel il s'était, par la suite, sans scrupule, engagé, avait peu à peu balayé toutes ces bonnes intentions pour ne laisser place qu'à l'exercice de son plaisir égoïste. Bientôt s'amuser et s'enrichir devinrent ses préoccupations essentielles. Rien d'autre ne comptait.

Arpentant sans répit son bureau, le duc se livrait à ce constat amer avec la sévérité qu'il avait si souvent eue pour les autres. Il aurait voulu que Yursa ne soit pas partie. Ainsi, il aurait pu tenter de se justifier, de lui expliquer les pensées qui l'agitaient. Parviendrait-il à changer l'opinion qu'elle avait de lui? Finirait-elle par lui rendre son amour?

– Je la désire, dit-il à voix haute. Je veux l'épouser et bon Dieu, cela se fera.

Il songea à lui faire dire qu'il désirait lui parler. Peut-être accepterait-elle de reprendre leur conversation? Puis il eut peur, au cas où elle refuserait de le rejoindre dans son bureau, que cela n'éveillât la curiosité du personnel qui ne manquerait pas de bavarder à leurs sujets.

En vérité, Yursa n'avait pas regagné sa chambre comme se l'était imaginé le duc, mais était allée trouver sa grand-mère. De peur de la réveiller au cas où elle se serait assoupie, elle frappa un coup discret à la porte.

– Entrez.

Lady Helmsdale était installée sur une chaise longue devant la fenêtre, un joli châle de soie brodé posé sur ses jambes.

– Yursa, ma chérie! je te croyais avec César.

– J'étais avec lui, grand-mère.

Yursa alla s'asseoir par terre auprès de son aïeule.

– De quoi s'agit-il? interrogea vivement cette dernière, intriguée par l'expression de sa petite-fille. Tu me parais bouleversée.

– Je... je veux rentrer à la maison.

– A la maison? Mais mon enfant, pourquoi? Nous sommes censées rester ici encore une semaine au moins et il n'y a aucune raison d'écourter notre séjour.

– Je veux retourner auprès de papa.

Il y eut un silence.

– Veux-tu bien me donner une raison?

– Je... je viens à l'instant de refuser la demande en mariage du duc, bredouilla-t-elle.

Lady Helmsdale la considéra d'un air consterné.

– Tu as dit à César que tu ne voulais pas l'épouser?

– Oui...

– Mais pourquoi? Pourquoi?

– Parce que je ne l'aime pas. Je vous prie de me pardonner, grand-mère, je sais que mon attitude vous déçoit énormément, mais je ne désire pas épouser le duc.

Elle parlait d'une voix à peine audible. Néanmoins, elle ajouta avec force :

– Je sais que papa ne m'obligera pas à accepter un mari dont je ne veux pas.

Rendue muette de surprise par l'épouvantable nouvelle qu'elle venait d'apprendre, lady Helmsdale demeurait sans réaction. Yursa se leva et lui fit une bise sur la joue.

– Pardonnez-moi, grand-mère, je sais que vous êtes déçue mais je n'y peux rien.

Elle gagna la porte. Ce n'est qu'au moment où elle s'apprêtait à sortir que lady Helmsdale retrouva sa voix.

– Yursa, ne pars pas. Il faut en parler.

– Il n'y a rien à dire, répondit la jeune fille. Aussi, je vous en prie, j'aimerais que vous preniez les dispositions nécessaires pour que nous partions soit demain, soit après-demain.

Sans attendre la réponse de sa grand-mère, elle referma la porte sur elle.

CHAPITRE VI

Après avoir arpenté son bureau pendant plusieurs minutes, le duc décida, puisqu'il était hors de question de rappeler Yursa, qu'une promenade lui ferait le plus grand bien.

A l'écurie il fit seller un cheval qu'il possédait depuis de nombreuses années. Il le flatta et l'animal frotta affectueusement son museau contre lui. C'était une bête qu'il aimait monter lorsqu'il avait besoin de réfléchir. Sa docilité lui permettait de se détendre alors que les jeunes étalons fougueux qu'il venait d'acquérir et qu'il fallait dompter, exigeaient une attention constante.

Il sauta en selle et s'éloigna sans remarquer le regard inquiet des palefreniers. Le mécontentement et la consternation qui contractaient son visage n'avaient pas échappé à ces derniers. Il était facile de comprendre que leur maître avait des ennuis. La plupart des palefreniers qui le connaissaient depuis son plus jeune âge, devinaient tout de suite son humeur. Ils lui étaient très attachés et souhaitaient par-dessus tout son bonheur.

Le duc gagna d'abord les bois en contrebas du château, et presque malgré lui, se dirigea vers le bois du Dragon. Il devait revoir la clairière où avait eu lieu le sabbat de sorcières afin de se convaincre que ce qui s'était passé la veille n'était pas le fruit de son imagination, et surtout que cela ne se reproduirait jamais.

Il préférait ne pas penser – en vérité, il aurait voulu pouvoir oublier – à son entrevue avec Zélée qui avait eu lieu le matin même. Elle l'avait accueilli avec un aplomb qui à la vive stupéfaction du duc ne paraissait pas feint. Il était difficile de reconnaître dans cette jeune femme soignée et à la mise élégante qui le rejoignit quelques minutes plus tard dans l'antichambre où on l'avait introduit, la créature échevelée et droguée qui avait tenté de tuer Yursa.

– Cher César, s'exclama-t-elle. Quel plaisir de vous revoir!

Il lui déclara sans détour, d'un ton cinglant, le regard sévère, ce qu'il pensait d'elle et de ses pratiques diaboliques. Elle l'écouta, un vague sourire au coin des lèvres, une lueur déconcertée au fond des yeux. Il avait l'impression que ses paroles blessantes ne l'atteignaient pas et qu'elle n'avait nullement honte de sa conduite. Peut-être se souvenait-elle à peine de ce qui s'était passé.

Il ne lui laissa pas le temps de parler et l'informa purement et simplement, avec une violence inouïe dans ses propos, qu'il lui interdisait dorénavant l'accès de son château et que si elle venait à lui désobéir, elle s'en mordrait les doigts. Là-dessus, il se détourna et se dirigea vers la porte.

– Au revoir, mon cher, dit-elle alors de la voix douce et sensuelle qu'il connaissait si bien. Je vous manquerai autant que vous me manquez, et lorsque mon absence vous sera trop cruelle, cette désagréable histoire sera oubliée.

– Pour ma part, jamais je n'oublierai! répliqua-t-il.

Et il sortit en claquant la porte derrière lui.

Dans la clairière du bois du Dragon le poteau planté en son centre et les bûches à demi calcinées étaient les seuls indices qui pouvaient le convaincre que le cauchemar de la nuit avait réellement eu lieu.

Il immobilisa son cheval et contempla tristement le siège d'un théâtre démoniaque dont jusqu'à la veille il n'avait pas soupçonné l'existence.

Comment Zélée qui prétendait être bien éduquée et appartenir à la haute société pouvait-elle se livrer à des actes de sorcellerie? Comment était-elle parvenue à entraîner ces pauvres paysannes dans cette sinistre aventure? Certes, étant dotée d'une vive intelligence, il lui avait sans doute été facile de s'assurer leur concours en les menaçant de ses soi-disant pouvoirs surnaturels.

Dans certaines régions de France, la sorcellerie qui existait depuis des temps immémoriaux, avait connu un regain de faveur au cours des XVIe et XVIIe siècles. Il se rappela d'ailleurs qu'il y avait au château un tableau représentant un sabbat de sorcières. Son père l'avait rangé dans un placard fermé à clé, de peur que le personnel ne s'en effraie.

Il avait entendu parler des chasses aux sorcières en Écosse et dans le nord de l'Angleterre. Des milliers de femmes innocentes avaient été marquées au fer rouge et condamnées à mort après avoir subi les tortures les plus cruelles. On avait également rapporté l'existence de messes noires qui avaient lieu dans Paris où on comptait parmi la population un certain nombre de disciples du culte de Satan.

Néanmoins, il n'avait jamais pensé que ces rites de magie noire continuaient de se pratiquer en Bourgogne, et encore moins qu'il s'éprendrait d'une de leurs adeptes. Il n'osait songer à ce qu'il serait advenu à Yursa s'il était arrivé trop tard...

Il ferait nettoyer la clairière. Il enverrait également les bûcherons pour qu'ils abattent un certain nombre d'arbres. La présence des ouvriers pendant quelque temps, espérait-il, dissuaderait les sorcières de revenir dans ce bois si elles persistaient à célébrer des sabbats. Que pouvait-il faire d'autre pour empêcher les sorcières de se réunir et décourager d'autres jeunes paysannes de se joindre à elles?

Il reprit sa promenade.

Il avait honte d'avoir succombé au charme de Zélée, honte de son manque de discernement et de sa faiblesse. En vérité, il comprenait la répulsion qu'il inspirait à Yursa.

« Il est normal qu'elle repousse et fuit un homme qui s'est lié avec les puissances infernales, lui disait son bon sens. Avec sa pureté et sa candeur, il lui semble que celui qui s'expose au mal s'avilisse lui-même. »

Toutefois, ces considérations ne résolvaient pas son problème.

– Que faire? s'interrogea-t-il.

Il se dirigea vers ses grands champs de vigne qu'il avait toujours plaisir à parcourir. Combien toutes ses possessions étaient de peu d'importance par rapport à l'amour qu'il éprouvait pour Yursa! Un amour qui grandissait à chaque instant! Les émotions qui l'assaillaient étaient si nouvelles qu'il avait du mal à croire qu'elles n'étaient pas le jouet de son imagination. Cependant, il avait l'honnêteté de le reconnaître : l'amour qui l'animait était un sentiment neuf, très différent de ce qu'il avait connu par le passé.

Jusqu'à ce qu'il rencontre Yursa, son désir des femmes pouvait se comparer à une flamme qui s'allumait entre sa maîtresse du moment et lui, et qui faisait que leurs regards et le mouvement de leurs corps exerçaient une étrange séduction.

Or, avec Yursa tout était différent.

Elle appartenait à l'univers de beauté, de paix et

de sérénité qu'il découvrait dans le paysage qui l'entourait : les riches cultures dans la vallée, les collines boisées, le soleil qui brillait haut dans le ciel. Il l'aimait et dans cet amour, il retrouvait cette soif de bonté et de justice qu'il avait eue jadis, et qui était tellement enracinée dans son âme que même les minauderies de Zélée n'en avaient pas eu raison. Cet idéal demeurait intact.

– Pardonnez-moi, mon Dieu, dit le duc avec ferveur.

Il devait réparer ses fautes, même s'il n'avait pas été toujours conscient du mal qu'il faisait. Il savait qu'en négligeant ses propres aspirations, il avait trompé l'espoir que sa famille mettait en lui, et trahi le sang de ses ancêtres qui coulait en lui. Il s'était également montré indigne de Montvéal qui représentait tout ce en quoi il croyait et à qui il devait allégeance.

Lorsqu'il fit enfin demi-tour car il était temps de rentrer, il se trouvait loin du château. Il ne cessait de se demander s'il pourrait tenter de nouveau sa chance auprès de Yursa et lui parler de son amour. En y réfléchissant, il n'aurait pas pu se conduire plus mal à l'égard de la jeune fille. Il avait cru qu'à l'instar de toutes les femmes qu'il avait connues par le passé, elle s'éprendrait de lui. Or, il venait de découvrir qu'il s'était grossièrement mépris. Il devait donc rattraper sa propre bêtise.

Pour gagner le cœur de Yursa il devait la persuader qu'ils étaient faits l'un pour l'autre, ce qui à ses yeux était la vérité. Il voyait trop bien que la jeune fille dotée d'une pureté et d'une sensibilité étonnantes était le complément de lui-même. Il était absolument convaincu que s'ils se mariaient, il se dévouerait toute sa vie au bonheur de Yursa.

Désormais, Montvéal lui apparut sous un jour nouveau. Ce n'était plus un simple musée abritant des trésors inestimables, ni le château où il régnait en duc orgueilleux et souverain, mais son foyer. N'était-ce pas ce qu'il avait toujours désiré au fond de lui : une maison où il vivrait heureux comme le commun des mortels, où il élèverait ses enfants dans le bonheur et la joie, ce qui plus tard leur conférerait la foi et la confiance nécessaires pour réussir et mener une vie accomplie? Comment expliquer à Yursa que c'est ce qu'il voulait? Il savait que c'était ce qu'elle attendait aussi de la vie. Mais pour l'instant, elle le repoussait, il ne faisait pas partie de son univers.

Sa longue promenade l'avait entraîné loin et il avait parcouru une grande partie de son domaine. Lorsqu'il arriva en vue du château, le soleil déjà bas sur l'horizon, ne dégageait pratiquement plus de chaleur. Les ombres s'étiraient. Bientôt ce serait la fin du jour.

Il se demanda ce que Yursa avait fait de son après-midi. Avait-elle pensé à lui? Pour sa part, il n'avait pu la chasser de son esprit. Il gravit le chemin qui serpentait à travers les bois et menait à la butte sur laquelle était construit Montvéal. Vu l'endroit d'où il surgissait, il lui fallait passer devant l'église pour gagner l'entrée principale du château. Au moment où il s'approchait de l'église, une petite fille d'une dizaine d'années environ en sortit en courant et se précipita vers lui.

Le duc, intrigué, se demanda qui était cette enfant. Elle était mignonne avec de jolis cheveux noirs et bouclés qui encadraient son visage. Elle portait une robe usée mais propre et reprisée en plusieurs endroits.

— Monsieur, Monsieur, appela-t-elle.

Il arrêta son cheval. Elle fit une révérence et s'écria, affolée :

— Monsieur, au secours! Mon petit frère est tombé dans un trou dans la chapelle. Il pleure mais le trou est trop profond et je ne peux pas l'aider à sortir.

— Un trou dans la chapelle? répéta le duc. Ah, tu veux sans doute parler de la crypte.

— Vite, Monsieur, sauvez-le. Je vous en supplie, faites quelque chose. Il pleure et j'ai peur pour lui.

Le duc mit pied à terre. Il ne prit pas la peine d'attacher son cheval qui venait quand on le sifflait. L'animal alla brouter l'herbe en contrebas du muret qui fermait la cour pavée. D'un pas leste il se dirigea vers la petite église. A l'intérieur une lumière brillait sur l'autel; des cierges brûlaient dans la chapelle de

146

la Sainte-Vierge ainsi que devant la statue de Jeanne d'Arc. Il gagna rapidement la porte ouest près de laquelle se trouvait l'entrée de la crypte pratiquée dans le sol dallé de la chapelle. Comme il s'y attendait, la trappe en fer était ouverte. Il regarda à l'intérieur. La crypte était plongée dans l'obscurité.

– Mon frère pleurait, Monsieur, dit la petite fille à côté de lui. Il est peut-être mort.

– Non, bien sûr que non, répondit le duc d'un ton réconfortant. Mais il s'est peut-être fait mal.

Tout en parlant il se mit à descendre le long de l'échelle de bois fixée à la paroi qui menait dans les profondeurs de la crypte, à deux mètres cinquante au-dessous de la chapelle. Lorsqu'il atteignit le sol, il fit quelques pas dans la salle voûtée qui devenait plus étroite et plus basse vers le fond.

Pas de petit garçon.

Il marchait lentement, fouillant l'obscurité des yeux. Soudain, le bruit d'une porte qui claque le fit sursauter. Il s'aperçut avec surprise que la trappe venait de se refermer.

– Laisse la trappe ouverte, cria-t-il. Sinon je ne vois rien.

La petite fille ne répondit pas, et il fut encore plus stupéfait lorsqu'il entendit qu'on en poussait le verrou. Il était prisonnier. L'espace d'un instant, il se dit qu'il se trompait. Puis, il y eut un bruit d'eau.

Pendant la Révolution, les nombreux trésors du

château avaient été rangés dans des coffres et cachés dans la crypte qui avait été volontairement inondée pour dissuader ennemis et voleurs de la fouiller.

Or, si quelqu'un – et il n'était pas difficile de deviner qui était derrière cette effroyable machination – inondait la crypte maintenant alors qu'il y était enfermé, il allait périr noyé. Il resta immobile, réfléchissant à sa situation, et cherchant un moyen d'échapper à une mort horrible. Il existait bien un soupirail au fond de la crypte. Néanmoins, l'ouverture n'était pas assez large pour qu'il puisse s'y glisser. Il se souvint que, petit garçon, il avait essayé de sortir de la crypte par le soupirail, un jour où un camarade l'y avait enfermé pour s'amuser; et que cela lui avait été impossible.

Que faire?

Il grimpa à l'échelle de bois pour vérifier qu'il était bel et bien prisonnier. En effet, la trappe était verrouillée. Il essaya de la soulever. Impossible malgré la meilleure volonté du monde.

– Au secours, au secours, au secours, cria-t-il.

Seul le silence lui répondit.

A cette heure de la journée, le chapelain qui avait fini de dire les vêpres, avait regagné sa maison à quelque distance du château. Souvent villageois et religieuses venaient se recueillir dans la chapelle, mais jamais à une heure aussi tardive car le sentier raide qui y menait passait par des bois sombres, et était plus long que le chemin carrossable qui débouchait devant le château.

Le duc s'assit sur un barreau de l'échelle et essaya de nouveau de soulever la trappe. Autant s'attaquer à une muraille de pierre. La trappe ne céda pas malgré ses tentatives répétées.

Au-dessous de lui l'eau envahissait la crypte avec une vitesse inouïe. En ouvrant le robinet, l'instigateur de sa mort avait dû dérégler le mécanisme antédiluvien. L'eau se déversait avec beaucoup de force. Il devait y avoir une trentaine de centimètres, ce qui signifiait que d'ici peu de temps, il aurait de l'eau jusqu'aux épaules, puis au-dessus de la tête.

Il se laissa glisser au bas de l'échelle pour vérifier ses estimations. L'eau atteignait pratiquement le revers de ses bottes. Il ôta sa redingote qu'il jeta par terre, remonta l'échelle et avec l'énergie du désespoir tenta de nouveau de soulever la trappe. Il appela également plusieurs fois à l'aide.

Alors, il songea à Yursa, se souvenant avec quelle étonnante perspicacité elle avait lu ses pensées. Yursa était sa seule planche de salut, son unique chance de s'en sortir. Si seulement elle pouvait l'entendre, deviner que sa vie était en danger.

– Au secours, cria-t-il.

Son âme et son esprit se tendaient vers la jeune fille.

– Yursa, sauvez-moi, sauvez-moi. Je ne veux pas mourir.

Il prononça ces mots presque malgré lui.

« Mon Dieu, faites qu'elle m'entende », pria-t-il tout bas.

Après avoir laissé sa grand-mère, Yursa passa le reste de l'après-midi dans le boudoir attenant à sa chambre. Elle s'assit sur le canapé, indifférente à la beauté de la petite pièce meublée avec bon goût et au délicieux parfum des fleurs qui la décoraient.

Elle languissait de retrouver la tranquillité de l'Angleterre, la sécurité de la maison où elle était née et où elle avait vécu si heureuse avec ses parents. Là-bas tout était calme et serein. Elle était sûre que dès son retour dans la demeure familiale, toute peur la quitterait. Elle pourrait alors oublier le cauchemar de cette nuit infernale où elle avait failli périr sur un bûcher, les cris des sorcières, le regard démoniaque de Zélée de Salône. Elle priait pour que les imprécations des paysannes invoquant Satan cessent de la hanter. Dorénavant jamais elle ne lirait ou n'entendrait parler de sorcellerie sans frémir d'horreur.

— Une fois à la maison avec papa, je n'aurai plus rien à craindre, murmura-t-elle.

Il lui sembla voir sa mère lui sourire et elle ferma les yeux comme quand petite fille, elle disait ses prières à genoux près d'elle.

Un grand moment plus tard, elle se rendit compte que l'après-midi touchait à sa fin et que bientôt il serait l'heure de se changer pour le dîner.

Il n'y avait aucune échappatoire possible. Elle était obligée de paraître au dîner et de faire bonne contenance comme si de rien n'était. Or, elle répugnait à revoir le duc qui venait de la demander en mariage. Comment épouser un homme qui avait aimé une sorcière? Zélée de Salône n'avait-elle pas dit qu'il lui appartenait et que jamais elle ne renoncerait à lui? Yursa n'en doutait pas. Tôt ou tard, cette créature satanique reprendrait son ascendant sur le duc, même si pour l'instant il l'avait bannie de son toit.

– Je veux rentrer à la maison, se répéta-t-elle.

Elle choisissait de fuir certes, mais quelle autre solution s'offrait à elle?

Soudain elle crut entendre le duc l'appeler. Elle prêta l'oreille. Seul le silence lui répondit. Sans doute avait-elle rêvé. Puis le cri se répéta. Elle comprit alors qu'elle ne l'entendait pas en vrai, mais dans son esprit. Cet appel était si net, si fort qu'il semblait parler à son cœur.

« Voilà que je me mets à imaginer des choses », songea-t-elle.

Elle savait pourtant que c'était sa faculté de lire les pensées du duc qui lui permettait d'entendre sa voix. Après tout, n'en avait-elle pas déjà fait l'expérience quand ils se promenaient ensemble?

« Tant pis s'il a besoin de moi, je ne bouge pas », se dit-elle d'un air de défi.

« Yursa, sauvez-moi, pour l'amour de Dieu, sauvez-moi! » crut-elle entendre soudain.

Le duc était en danger? Était-ce possible? Comment pouvait-elle en être sûre? Fatalement la pensée de Zélée de Salône s'imposa à son esprit. Quel mauvais coup cette créature diabolique tramait-elle contre le duc? Cherchait-elle à lui nuire, à lui aussi? Elle avait bien tenté de la brûler sur un bûcher. Cette femme incarnait le mal...

De nouveau Yursa perçut les ondes malfaisantes qui émanaient de la Française avec une telle violence que, saisie d'épouvante, elle décida de se réfugier dans la chapelle. Là, elle n'aurait plus rien à craindre. La présence de Dieu combattrait les maléfices de la sorcière.

Elle ouvrit la porte du boudoir. L'appel du duc résonna, une urgence grandissante dans la voix.

« Sauvez-moi, oh Yursa, sauvez-moi! »

Alors, cédant à son impulsion, elle se mit à courir. Le duc avait besoin d'elle et parce que Mme de Salône avait probablement ourdi une fois de plus quelque ruse machiavélique, elle devait se recueillir dans la chapelle. Elle longea vivement le couloir, descendit l'escalier et atteignit la porte qui débouchait sur la petite cour pavée. Là, elle eut un instant d'hésitation. Puis, voyant la porte de la chapelle ouverte, elle s'élança en avant.

Dans le sombre édifice, ses yeux se posèrent sur la flamme vacillante de la veilleuse allumée sur l'autel. Le cri du duc retentit. Mais cette fois-ci, la voix étouffée venait de quelque part sous ses pieds.

– A l'aide, à l'aide, Yursa, sauvez-moi!

152

Interdite, elle se tourna dans la direction d'où semblait provenir cet appel désespéré. La voix sortait bel et bien de terre.

– Je suis ici. Où êtes-vous? dit-elle tout en songeant que tout ceci devait être le fruit de son imagination.

– La trappe de la crypte est verrouillée, répondit le duc. Vite, ouvrez-la.

Il était difficile de voir quoi que ce soit dans l'obscurité de la chapelle. Néanmoins, grâce à son instinct, se dit-elle plus tard, elle aperçut immédiatement la trappe dans le sol et le gros verrou en travers qui la fermait. De toutes ses forces, elle poussa le verrou vers elle, et aussi surprenant que cela puisse paraître, le mécanisme qui venait en fait d'être huilé, ne lui résista pas.

La trappe se leva aussitôt. Elle vit d'abord la main, puis le bras du duc surgir des ténèbres. Enfin, sa tête émergea de l'eau qui lui arrivait jusqu'au cou. Elle poussa un cri.

– Elle voulait vous noyer! s'exclama-t-elle comme il gravissait, ruisselant d'eau, les barreaux de l'échelle. Mais vous êtes en vie, vous êtes en vie!

Le duc posa enfin un pied sur le sol dallé de l'église.

– Je suis en vie, ma chérie, grâce à vous. Dieu sait que quelques minutes encore et j'étais un homme mort.

– Heureusement que je suis arrivée à temps, dit

153

Yursa dans un souffle, en tendant les bras vers lui.

Alors, il l'attira contre lui et l'embrassa. La surprise empêcha d'abord Yursa de comprendre ce qui se passait. Puis, comme il l'étreignait de plus en plus fort et que son baiser devenait passionné, elle sut qu'elle l'aimait, et que s'il s'était noyé, elle aurait perdu tout ce qui importait dans sa vie.

Il était tellement soulagé d'avoir échappé à la mort que ses baisers avaient une violence presque désespérée. Puis, découvrant la douceur et l'innocence de la jeune fille, il l'embrassa avec une tendresse touchante et émerveillée, la serrant plus que jamais contre son cœur.

La chemise trempée du duc mouillait le corsage de Yursa, mais elle n'y prêta pas attention. Une ivresse extraordinaire l'habitait parce que le duc était vivant alors que la mort le guettait. Elle l'avait sauvé des griffes de Zélée de Salône et elle l'aimait.

Il l'embrassait encore et toujours et elle avait la sensation de lui offrir son cœur, son esprit, son âme et son corps. Elle faisait partie de lui et rien au monde ne comptait que lui.

— Je suis en train de mouiller votre robe, mon trésor, dit-il enfin d'une voix étrangement émue.

— Vous êtes vivant et je vous aime.

— C'est ce que je veux entendre.

De nouveau il l'embrassa. Il lui donnait de longs

baisers ardents qui la transportaient haut dans le ciel. Elle ne touchait plus terre.

– Comment avez-vous pu m'entendre? reprit-il, revenant du paradis où leur amour les entraînait. Vous êtes vraiment étonnante. Bien sûr, je me disais que vous seule pouviez avoir conscience que j'étais en danger, que ma vie tenait à un fil, mais... c'est incroyable!

– Je vous ai entendu appeler, je vous ai entendu, et j'ai su que le mal vous guettait et que pour vous sauver je devais me rendre à la chapelle.

– Je n'ai jamais été aussi proche de la mort.

– Tout va bien, murmura-t-elle. Vous êtes en vie.

Elle appuya sa joue contre l'épaule du duc et s'aperçut que ses habits étaient trempés.

– Il faut vous changer ou vous allez prendre froid.

Le duc se mit à rire.

– Peu m'importe! A partir du moment où je vis, respire et peux vous dire combien je vous aime!

Il résista à la tentation de la serrer de nouveau dans ses bras.

– Rentrons au château. Mais d'abord je dois fermer ce robinet d'eau.

Tout en parlant, il baissa la tête et vit que l'eau débordait de la crypte, formant une flaque au milieu de laquelle ils se tenaient. Yursa recula de quelques pas. Il se tourna vers le mur où se trouvait une roue qui permettait d'ouvrir et de fermer le robinet. La roue avait disparu. On l'avait enlevée. Par conséquent, on ne pouvait pas empêcher l'eau de se déverser dans la crypte.

Il ne fit pas part à Yursa de ses soupçons, mais il devina que c'était sur les ordres de Zélée que le mécanisme avait été saboté. Il était impossible d'arrêter l'inondation. De retour au château, il enverrait quelqu'un régler ce problème.

Il se retourna vers Yursa.

Dans la lumière du soir, il se rendit compte à quel point sa robe était mouillée. Des gouttes d'eau perlaient sur son visage qu'il avait embrassé. Néanmoins, dans ses yeux brillait le bonheur radieux de leur amour, bonheur qu'il avait tant espéré lire dans son regard. N'était-ce pas la seule chose qui importait?

— Je vous aime, dit-il d'une voix que l'émotion rendait plus grave, plus profonde. Quand j'aurai l'air un peu plus présentable, je vous dirai combien je vous aime.

— Tout ce qui compte, c'est que vous soyez en vie, murmura-t-elle, bouleversée.

Ils se tenaient sur le seuil de la porte ouest. Yursa se retourna vers l'autel.

— Nous reviendrons, n'est-ce pas, plus tard, afin de remercier Dieu de m'avoir envoyée à votre secours? s'enquit-elle.

— Nous reviendrons, répondit-il.

Avant de sortir, ils firent une génuflexion, puis, main dans la main, traversèrent la cour pavée et entrèrent au château.

Le duc songea qu'il devait envoyer un palefrenier pour chercher son cheval et un domestique pour arrêter l'inondation de la crypte.

Lorsque Zélée de Salône arriva sous la façade est de la chapelle, après s'être frayé un chemin à travers la végétation touffue de la colline, elle put vérifier que ses ordres avaient été suivis : les buissons et le lierre qui masquaient le soupirail avaient été coupés. En outre, vu l'heure tardive, l'endroit était désert. Tout s'annonçait donc bien.

Avec une satisfaction mal contenue, elle pensa que d'ici peu de temps le corps du duc, poussé par la force de l'eau, s'échapperait par le soupirail. Elle pourrait alors l'emporter avec elle. Tout était très bien organisé dans sa tête : le duc devait littéralement s'évanouir du monde des vivants. Ainsi, personne ne saurait jamais ce qui lui était advenu. Ah, elle rirait bien quand sa famille se mettrait à sa recherche !

Un détail cependant lui avait échappé. Si le soupirail donnait l'impression de l'extérieur d'être assez large pour que le corps d'un homme y passe, il était en vérité trop étroit de l'intérieur.

Cachée derrière les arbres, elle avait entendu le duc suivre la petite fille dans la chapelle. Ayant

157

calculé avec précision en combien de temps la crypte se remplirait d'eau et par conséquent combien de temps il faudrait pour que le duc trouve la mort, ce n'était plus qu'une affaire de patience.

Bientôt, des gouttes d'eau se mirent à suinter entre les deux vantaux du vieux soupirail. Les yeux brillants, elle les regardait avec convoitise et exultait. C'était comme le sang du duc qui se répandait. Un châtiment qu'il méritait car il l'avait repoussée et bannie de ses terres. Et il ne serait pas enterré dans le caveau familial, mais dans une tombe anonyme.

– Il sera à moi, à moi, à jamais, murmura-t-elle entre ses dents.

C'était une idée de génie de frapper vite avant que ne coure la rumeur qu'il l'avait chassée ou qu'il ne se décide à la dénoncer pour ses pratiques occultes.

– Je l'offrirai à Satan qui s'emparera de son âme, se dit-elle avec une joie diabolique.

Elle remarqua soudain que l'eau avait cessé de goutter entre les deux vantaux. Ce détail la laissa perplexe. La crypte devait être pleine et le duc noyé à l'heure qu'il était. Il lui vint alors à l'esprit que le corps devait faire obstruction et ainsi empêcher l'eau de s'écouler.

Elle s'approcha du soupirail qui se situait légèrement en contrebas de l'arbre derrière lequel elle se tenait, et entreprit d'ouvrir les vantaux. Elle dut utiliser toute sa force et ses deux mains pour manœuvrer l'énorme loquet. Néanmoins, celui-ci ayant été huilé sur ses ordres, elle le souleva et les battants s'entrouvrirent.

C'était la redingote du duc qui bouchait l'orifice. Au moment où elle tendait la main pour s'en saisir, l'eau, soudain libérée, jaillit avec une violence incroyable et la frappa en pleine poitrine. La brutalité du choc la déséquilibra et elle dévala la pente rocailleuse sur laquelle donnait la façade est de la chapelle. Elle fut emportée jusqu'à un gros rocher qui surplombait un précipice. Elle cria et roula au fond du ravin, une dizaine de mètres plus bas. L'eau continuait de se déverser mais Zélée ne bougeait plus. Elle s'était brisé la nuque dans sa chute.

Un paysan qui revenait des champs, aperçut une jupe d'une belle couleur sur le lit de rocailles. Il se dit qu'un bout de chiffon, ça servait toujours et que ça ferait plaisir à son épouse. Il se laissa donc glisser le long de la pente jusqu'à la jupe en question et là, s'arrêta, perplexe. Le corps d'une femme gisait face contre terre. Il le retourna. La femme, complètement défigurée, était méconnaissable. Il comprit qu'il n'y avait plus rien à faire : le corps était inanimé.

Après tout ce n'était pas ses affaires. Et de peur d'être impliqué dans ce qui pouvait être un malheureux accident ou un meurtre, il regagna vivement le sentier, en se signant et en marmonnant une prière pour éloigner le mauvais œil. En outre, il n'avait nullement l'intention d'expliquer pourquoi il rentrait chez lui en passant par les bois au lieu de couper à travers champs. En début de journée, il avait posé deux pièges à lapins dans les taillis qui menaient au bois du Dragon.

Il décida d'aller vite ramasser ses pièges au cas où quelqu'un à la recherche de la jeune femme morte mettrait la main dessus avant lui.

Dans l'un des pièges l'attendait un lapin bien gras. Voilà qui ferait un délicieux souper. Il le glissa dans sa sacoche et s'éloigna d'un pas rapide. A l'avenir, il braconnerait dans une autre partie du bois, là où il était sûr de ne pas rencontrer de cadavre.

CHAPITRE VII

De retour dans sa chambre Yursa s'aperçut que son corsage était mouillé. Elle se déshabilla rapidement et cacha sa robe pour éviter que Jeanne qui n'allait pas tarder, lui posât des questions.

Personne ne devait apprendre que Mme de Salône avait tenté de noyer le duc. Elle savait que ce dernier tenait à ce que l'affaire ne s'ébruite pas.

Dire qu'il avait de justesse échappé à la mort! Elle frémit à l'idée qu'elle aurait pu arriver trop tard. En vérité, bien que ce fût merveilleux de savoir le duc sain et sauf, la peur continuait de l'habiter. Zélée de Salône ne renoncerait jamais à la sorcellerie. Sa tentative de la brûler sur un bûcher ayant avorté, de même que celle de noyer le duc, elle inventerait sans doute quelque autre stratagème bien plus démoniaque encore afin de se débarrasser à la fois du duc et d'elle.

L'espace de quelques secondes, un vif désarroi la saisit. Puis, elle se raisonna. Jusqu'à présent Dieu les

161

avait sauvés de la mort. Il ne les abandonnerait pas. Le bien devait triompher du mal. C'était ce que sa mère lui répétait toujours. Elle n'avait donc aucune raison d'avoir peur.

Elle se sécha, puis enfila une chemise de nuit et se glissa au lit. Elle avait encore le temps de se reposer avant le dîner. Si ce soir en particulier elle voulait que le duc la trouvât ravissante, – et n'était-ce pas ce qu'elle désirait par-dessus tout? – elle devait être raisonnable et tâcher de dormir un peu.

Elle ferma donc les paupières et sentit, comme dans un rêve, l'étreinte irrésistible du duc et la douceur de son baiser. Elle revivait l'ivresse extatique qu'il avait éveillée en elle, ivresse qui dépassait de loin tout ce qu'elle aurait jamais pu imaginer.

« Je l'aime, je l'aime », se répéta-t-elle dans le secret de son cœur.

Elle fit vœu de le chérir sa vie durant et de veiller constamment sur lui.

C'est parce qu'il avait eu besoin d'elle que les sentiments de Yursa à l'égard du duc avaient brusquement changé. En effet, sa détresse inattendue avait bouleversé la jeune fille, révélant ainsi l'amour profond qu'elle lui portait.

Lorsqu'il avait surgi de la crypte inondée, elle n'avait plus vu en lui le gentilhomme fier et assuré que sa grand-mère voulait lui faire épouser, mais un homme simplement qu'elle était capable de protéger et de réconforter. Ce sont les mêmes sentiments qui l'animeraient pour le fils qu'elle aurait un jour de lui. Elle voulait donner au duc des enfants qui rempliraient Montvéal de bonheur et d'amour, et seraient aussi beaux que leur père.

Soudain elle frissonna comme si une main glacée lui broyait le cœur. Leurs enfants ne risqueraient-ils pas d'être menacés à leur tour par Zélée de Salône? De nouveau, elle se réfugia dans la prière, demandant à Dieu du fond du cœur de leur venir en aide, à elle et à l'homme qu'elle aimait.

Elle dut sommeiller pendant un moment car elle s'éveilla en entendant le bruit feutré de la porte qui s'ouvrait doucement. C'était Jeanne.

– Est-il l'heure de s'habiller pour le dîner? s'enquit Yursa en souriant.

– Vous avez le temps, Mademoiselle, répondit Jeanne. J'ai un message pour vous de la part de Monsieur le duc. Vous ne dînez pas au château ce soir. Il est donc inutile de descendre avant huit heures.

– Nous ne dînons pas au château! s'exclama Yursa, stupéfaite.

Puis elle comprit. Le duc avait pensé qu'il serait pénible, après ce qu'ils venaient de vivre, de bavarder avec les invités de Montvéal comme si de rien n'était.

« Il m'emmène quelque part où nous serons seuls tous les deux », songea-t-elle.

Son cœur bondit de joie.

Elle était si pudique, si intimidée par ses propres sentiments, par cet amour qui l'habitait tout entière, que le regard curieux des amis du duc ou leurs questions inquisitrices l'auraient mise sans aucun doute fort mal à l'aise.

« N'est-il pas merveilleux? se dit-elle. Il est plein d'attentions. »

Elle se rallongea et ferma les yeux pour mieux penser à lui pendant que Jeanne mettait de l'ordre dans la chambre et lui préparait un bain parfumé à l'essence de seringa. Elle ne se leva que lorsque la servante l'appela. Le bain chassa toute sa fatigue. Néanmoins, elle ne s'y attarda pas, car elle languissait de retrouver le duc.

Quand elle descendrait le rejoindre dans le hall à huit heures, tout le monde serait réuni dans la salle à manger et par conséquent ils quitteraient le château incognito. D'autre part, le duc, qui était prévoyant, avait sans doute parlé à sa grand-mère afin d'expliquer leur absence au dîner.

En vérité, elle pouvait entièrement se reposer sur lui. La seule chose dont elle avait à se préoccuper était de se faire belle.

Elle était tellement absorbée par ses pensées qui toutes la ramenaient au duc et à l'amour qui les unissait, que c'était à peine si elle remarqua qu'elle revêtait sa plus belle robe. Ce modèle de Worth que sa grand-mère lui avait acheté, utilisait savamment le tulle, la mousseline et la gaze de soie. Un délicat point de dentelle ourlait les ruchers de la tournure qui soulignait sa taille menue, et dessinait également son corsage.

Si Jeanne n'avait pas eu l'idée de la sortir, c'est cette toilette-là entre toutes qu'elle aurait choisie, car c'était celle qui convenait le mieux à une soirée exceptionnelle. En se regardant dans le miroir, elle se dit qu'elle évoquerait aux yeux du duc une de ses précieuses orchidées qui poussaient dans ses serres.

Jeanne lui donna ses mitaines de dentelle – si fines qu'on les eût dites tissées par une araignée – et l'enveloppa dans une étole de velours blanc bordé de duvet de cygne.

– Vous êtes ravissante, Mademoiselle, s'exclama la servante.

Yursa la remercia avant de sortir et de descendre l'escalier à pas mesurés. Le duc se trouvait dans le hall. Seuls les deux laquais présents les virent monter, main dans la main, dans la voiture fermée qui attendait devant le perron.

– C'est une idée merveilleuse de passer un moment seuls tous les deux, dit-elle comme la voiture s'élançait.

– J'ai pensé que cela vous ferait plaisir, répondit le duc en lui prenant la main.

Il baisa ses doigts l'un après l'autre, puis sa paume avec délicatesse et ferveur. Elle frissonna de bonheur, un bonheur fait de sensations délicieuses dont elle n'avait jamais soupçonné l'existence.

– Je vous aime, dit-il, et je ne supporte pas de vous avoir ne serait-ce qu'une minute loin de moi.

– Je n'ai pensé qu'à vous.

– Avez-vous prié pour nous?

– J'ai prié Dieu de me donner la force de veiller sur vous et de vous protéger, dit-elle avec un tremblement dans la voix.

– J'ai prié moi aussi, ma chérie, il faut avoir la foi et croire que, maintenant que nous sommes ensemble, notre amour nous défendra du mal.

La main de Yursa se crispa sur la sienne.

– C'est ce que je veux croire, mais vous devrez m'aider.

Il passa le bras autour de ses épaules et la tint serrée contre lui. Ils continuèrent ainsi à rouler en silence. Toute parole était superflue. Au bout de plusieurs minutes, ils quittèrent la route et s'engagèrent dans une allée dont l'entrée était un magnifique portail de fer forgé.

– Où allons-nous? interrogea-t-elle.

– Nous dînons chez ma mère. Il n'y a que chez elle que nous pouvons être tranquilles. Vous ne voyez sans doute aucun inconvénient à ce que nous passions lui dire bonsoir.

– Non, bien sûr que non.

Il ne dit rien de plus.

Ils descendirent de voiture. Yursa avait compris pourquoi le duc l'avait emmenée dans le château de sa mère. Ainsi rien ne leur rappellerait la sinistre

166

présence de Mme de Salône ni la chapelle de Montvéal où il avait failli périr noyé. Elle devinait sans peine que la duchesse n'aurait jamais reçu la détestable maîtresse de son fils. Pour ce soir du moins, le souvenir de cette créature ne les hanterait pas.

Elle laissa son étole dans le hall et ils montèrent à l'appartement de la duchesse. Celle-ci n'était pas couchée, mais assise dans son boudoir, vêtue d'un élégant déshabillé aux manches amples. Elle portait plusieurs rangs de perles à son cou et des diamants brillaient à ses doigts.

Lorsqu'on les annonça, elle poussa un cri de joie. Son fils se pencha pour l'embrasser.

– Vous n'auriez pas dû nous attendre, mère.

– J'étais si heureuse de recevoir ton mot, mon chéri, répondit-elle. Le cuisinier s'est empressé de vous concocter un petit dîner qui j'espère, vous plaira à tous les deux.

Elle tendit la main à Yursa en ajoutant :

– Vous êtes ravissante, mon enfant.

Elle les regarda en silence un instant.

– Puisque vous êtes ici ensemble, reprit-elle enfin, non sans hésitation, avez-vous quelque chose à me dire ?

Derrière ces paroles, Yursa devina l'appréhension de la vieille dame qui craignait de se montrer trop optimiste et de ne pas entendre ce qu'elle désirait.

– Mère, nous sommes venus, Yursa et moi, vous

dire que nous nous aimons, répondit le duc.

La duchesse ne put retenir une exclamation de joie.

– Oh, mon chéri, est-ce bien vrai? Ainsi Dieu a exaucé mes prières.

Les larmes aux yeux, elle tendit une main à son fils et l'autre à Yursa. Les deux jeunes gens s'agenouillèrent à côté d'elle.

– Nous nous aimons, mère, répéta le duc doucement, et nous allons nous marier ce soir, ici même, dans votre chapelle privée.

Si la surprise laissa la duchesse sans voix, Yursa resta comme abasourdie. Puis, elle comprit – après tout n'était-elle pas capable de lire les pensées du duc? – que plus tôt aurait lieu le mariage, plus tôt ils seraient réunis et en sécurité.

Leurs yeux se rencontrèrent. Le duc vit la joie éclairer le visage de Yursa. Il se retourna vers sa mère.

– Ne pleurez pas, mère, reprit-il avec tendresse. Il ne faut pas. Nous désirons que vous soyez aussi heureuse que nous le sommes.

– Mais c'est de bonheur que je pleure, bredouilla la duchesse à travers ses larmes. Dès l'instant où j'ai vu Yursa, j'ai su qu'elle était l'épouse qu'il te fallait et la belle-fille que j'ai toujours souhaitée.

– Vous aviez raison, mère, dit le duc. Voulez-vous bien nous héberger ce soir? Vous comprenez, n'est-ce pas, qu'après la cérémonie du mariage, nous préférerions rester ici afin d'être seuls.

Quelques instants plus tard, ils descendirent à la salle à manger. Yursa remarqua que le duc avait donné l'ordre aux domestiques de quitter la pièce entre chaque service.

– Comment avez-vous pu tout organiser en si peu de temps? s'enquit-elle.

– Lorsque vous avez avoué m'aimer, répondit-il, j'ai su que vous m'apparteniez et que je vous désirais auprès de moi jour et nuit.

Il lui sourit avec une tendresse infinie avant d'ajouter :

– Ne serait-ce pas une souffrance épouvantable de devoir nous séparer ou partager nos précieux moments avec les autres, alors qu'il est si facile d'être seuls?

Il devina à son regard qu'elle était de son avis et poursuivit :

– Après l'épreuve que nous venons de subir, j'ai pensé qu'il vous serait pénible de vous marier dans la chapelle de Montvéal. Aussi, j'ai demandé à mon chapelain de nous rejoindre chez ma mère. Il attendra que nous soyons prêts.

– Je croyais..., commença Yursa.

– Je sais ce qui vous préoccupe, interrompit-il. Vous savez qu'en France on est légalement mari et femme lorsqu'on est passé devant le maire. Eh bien, en vérité, cette formalité, nous l'avons déjà remplie, par procuration.

Elle le regarda avec surprise comme il déclarait :

– Selon les lois de mon pays, vous êtes mon épouse depuis bientôt une heure.

Elle se mit à rire.

– Voilà que vous m'effrayez! répondit-elle. Comment est-il possible que vous ayez rempli ces formalités dans un délai aussi bref? J'en ai le souffle coupé!

– J'étais impatient de vous savoir mienne et maintenant, c'est fait. Néanmoins, nous souhaitons tous les deux la bénédiction de Dieu. Notre mariage doit être parfait car nous nous en souviendrons jusqu'à la fin de nos jours.

Le bonheur de Yursa était si total qu'elle ne prêta guère attention aux mets exquis qu'on leur servit. Désireuse cependant de faire plaisir au chef cuisinier, elle pria le maître d'hôtel de le remercier de sa part et de lui dire qu'elle n'avait jamais mangé de meilleur repas. Le duc joignit ses compliments aux siens et ils quittèrent la salle à manger.

– Je vais vous montrer votre chambre, mon trésor, où Jeanne vous attend, dit le duc comme elle l'interrogeait du regard. Je viendrai vous chercher.

La chambre où il la conduisit était ravissante. Il y avait un plafond peint et un immense lit à baldaquin aux colonnes ornées de tresses de fleurs que tenaient des anges dorés. Des bouquets de lys blancs embaumaient l'air de leur parfum délicat.

– Aujourd'hui, Mademoiselle, c'est le plus beau

jour de ma vie, dit Jeanne en l'accueillant avec un sourire radieux.

– Pour moi aussi, répondit Yursa.

– Comment aurais-je pu deviner, comment aurais-je pu savoir lorsque vous m'avez demandé de faire vos malles pour rentrer en Angleterre; qu'en fait vous alliez épouser Monseigneur?

– Nous sommes tellement heureux.

Yursa aperçut posé sur le lit un voile de dentelle, d'une dentelle aussi fine que celle de sa robe. Jeanne lui expliqua que chez les Montvéal toutes les mariées le portaient depuis des générations le jour de leurs noces.

– Madame la duchesse vous demande également de choisir parmi les bijoux que voici celui que vous préférez, ajouta la servante en ouvrant deux écrins.

L'un contenait une superbe couronne de diamants; l'autre une tresse de fleurs de diamants qui venait de chez l'un des plus grands joailliers de Paris, un génie en matière de création de fleurs.

Yursa posa sur sa tête la guirlande que lui tendait Jeanne et se dit que c'était le plus beau bijou qu'elle eût jamais vu. Elle ne rabattit pas le voile de dentelle sur son visage car elle désirait qu'il n'y ait rien entre le duc et elle. Jeanne l'arrangea de façon à ce que les pans du tissu encadrent simplement son visage. Elle se regarda de nouveau dans la glace, incertaine. Le duc l'aimerait-il ainsi?

Quelques instants plus tard il frappa à la porte et entra. A la lueur d'admiration qui brilla au fond de ses yeux, elle comprit qu'elle était la mariée de ses rêves. Il s'était également changé et son manteau de soirée était couvert de décorations. Une croix en or attachée à une chaîne autour de son cou tombait sur le plastron de sa chemise. Il tenait à la main un petit bouquet d'orchidées en forme d'étoile qu'il lui offrit. Yursa le prit. Leurs doigts s'effleurèrent et un frisson, chaud comme un rayon de soleil, la parcourut. Elle posa la main sur son bras et ils quittèrent la chambre. Après avoir descendu le grand escalier et longé un vestibule, ils arrivèrent dans la chapelle du château.

L'église, beaucoup plus petite que celle de Montvéal mais tout aussi belle, datait du XVIIIᵉ siècle. La lumière des cierges posés sur l'autel, devant les statues des saints et sous les vitraux colorés, ne permettait cependant pas de distinguer les détails de son architecture.

Yursa savait que le duc avait fait brûler tous ces cierges afin de remercier Dieu qui les avait protégés et réunis à jamais. Le chapelain les attendait. Les deux autres personnes présentes à cette cérémonie étaient les deux sacristains vêtus d'une casaque rouge et d'un surplis bordé de dentelle qui firent office de servant.

Le duc et Yursa s'agenouillèrent devant l'autel pour recevoir la communion. Elle eut la sensation

172

d'entendre les voix mélodieuses des anges ainsi que le battement de leurs ailes au-dessus d'eux. Cette impression était si forte que, lorsque le prêtre les bénit, elle était sûre que Dieu veillait sur eux. C'était ce que le duc lui avait assuré et c'était vrai. Le bien avait triomphé du mal. Ils étaient sains et saufs. Désormais, ils n'avaient plus rien à craindre.

La cérémonie terminée, ils retournèrent au château en empruntant le même chemin qu'à l'aller. En arrivant dans le hall, Yursa remarqua le silence qui régnait et n'aperçut aucun domestique. Elle ne fut donc pas surprise quand ils regagnèrent sa chambre, de ne pas y trouver Jeanne. Elle était seule avec son mari.

Les chandeliers au chevet du lit diffusaient une lumière douce. Les yeux de Yursa brillaient comme des milliers d'étoiles.

– Je vous aime, ma chérie, dit le duc en s'avançant. Désormais, vous êtes mienne.

Elle leva son visage vers lui. Il ôta la guirlande de diamants et le voile qui recouvrait sa tête, et les posa sur une chaise. Doucement, comme s'il savourait ce moment, il l'enlaça et la serra contre lui.

– Est-ce... vrai... ou suis-je en train de rêver? murmura Yursa.

– S'il s'agit d'un rêve, alors nous sommes deux à rêver.

Ému par la solennité de la cérémonie qui venait de les unir l'un à l'autre, il l'embrassa avec une tendresse pleine de révérence. Elle se blottit contre lui.

– Laissez-moi enlever mon manteau, dit-il. Je crains que mes médailles ne vous blessent.

– Je suis fière de ces médailles, dit-elle. Il faudra me raconter leur histoire.

– Elles signifient que j'ai accompli dans ma vie quelques bonnes actions pour lesquelles on m'a récompensé. Comme je désire vous faire plaisir, j'espère en mériter beaucoup d'autres.

– C'est tout ce que je souhaite.

Il l'embrassa de nouveau. La sentant trembler, il sut que son cœur battait aussi follement que le sien tandis qu'il défaisait le dos de sa robe. Elle laissa échapper un murmure quand sa robe glissa sur le sol, et cacha son visage contre son épaule.

– Cela vous intimide, ma chérie? s'enquit-il.

– Oui... et j'ai un peu peur aussi, avoua-t-elle dans un souffle.

– De moi?

– Non, pas de vous, mais de vous décevoir...

Il eut une exclamation amusée.

Alors, il la souleva dans ses bras et la porta jusqu'au lit où il l'étendit, posant doucement sa tête sur les oreillers et la recouvrant du drap.

Elle avait l'impression d'être entrée dans un univers enchanté. Après s'être sentie triste et malheureuse tout l'après-midi, elle avait du mal à croire à son bonheur. Le duc l'embrassait et une douce chaleur l'envahissait. Quand il s'allongea à côté d'elle, elle se tourna vers lui, enfouissant son visage au creux de son épaule.

– Tout s'est passé si vite, dit-il. Je n'ai pas encore eu le temps de vous expliquer, ma ravissante, mon adorable épouse, combien je vous aime.

– Je vous aime moi aussi, mais je suis si ignorante, je ne connais rien à l'amour et je crains de ne pas savoir...

– Cela est impossible car vous êtes parfaite. Vous êtes celle que je cherchais, que je languissais de rencontrer et que je croyais ne jamais trouver.

– Est-ce... la vérité?

Il devina qu'elle pensait en posant cette question aux nombreuses femmes qu'il avait connues dans sa vie, et en particulier à Zélée de Salône.

Il posa un baiser sur son front avant de répondre.

– Je dois vous expliquer une chose, ma chérie. En effet, j'ai eu des maîtresses dans ma vie. Néanmoins, et je ne vous mens pas, je n'ai jamais éprouvé pour aucune d'elles ce que je ressens pour vous.

– Pourquoi? Suis-je différente?

Le duc réfléchit un instant, comme s'il cherchait ses mots.

– Vous êtes trop jeune pour comprendre qu'un homme peut être attiré par une femme simplement parce qu'elle lui plaît physiquement.

Yursa eut un frisson. Il comprit qu'un mouvement de jalousie l'agitait.

– Il s'agit d'un désir purement physique qui s'éteint aussi vite qu'il s'allume.

Comme elle se taisait, il ajouta :

– C'est ce qui m'est arrivé. J'ai été attiré par des femmes alors que je trouvais leur personnalité banale, leur conversation pleine de lieux communs et leur compagnie ennuyeuse.

– Néanmoins, elles vous attiraient.

– Leur corps seulement. La plupart du temps, il n'y a rien eu d'autre.

Il serra Yursa contre lui.

– Nous sommes si proches l'un de l'autre. Sinon jamais vous n'auriez pu m'entendre appeler au secours ni deviner l'endroit où j'étais enfermé.

– En effet, cela paraît bien extraordinaire.

– C'est parce que nous formons une seule et même personne. Lorsque j'ai su que je vous aimais, ma chérie, mon cœur s'est ouvert à vous, et lorsque je vous ai embrassée, vous m'avez offert le vôtre.

– C'était merveilleux, murmura-t-elle. J'avais l'impression de m'envoler au paradis!

– Moi aussi, je peux m'envoler avec vous. Je vous l'ai déjà dit, Yursa, je n'ai jamais éprouvé un sentiment aussi intense.

Elle se rapprocha de lui.

– Ce n'est pas tout, ajouta-t-il.

– De quoi... s'agit-il?

– Lorsque nous étions agenouillés devant l'autel ce soir, et que nous recevions la bénédiction de Dieu, je savais que le même élan nous portait l'un vers l'autre. Notre amour est un lien indestructible qui nous unit. Ainsi, jamais aucun autre homme ne tiendra la place que je tiens dans votre cœur, de même que jamais aucune autre femme ne vous remplacera.

Elle poussa un cri de joie.

– Est-ce vrai, réellement vrai?

– Vous savez bien qu'il me serait impossible de mentir en un moment pareil, dit-il d'une voix profonde. D'ailleurs, si je mentais, vous le devineriez.

– N'est-ce pas une chance incroyable, merveilleuse, que nous nous soyons trouvés?

Elle reprit après un silence :

– J'avais peur de rester au château... Quelle sotte!... Dire que j'avais donné l'ordre qu'on fasse mes malles pour partir demain...

– Croyez-vous que je vous aurais laissé réellement partir? interrogea le duc. Tout l'après-midi j'ai pensé à vous. J'étais décidé, quel que soit le temps qu'il me faudrait, à vaincre votre indifférence. Je vous aurais poursuivie de mon amour, quitte à vous retenir prisonnière, si nécessaire, jusqu'à ce que vous m'aimiez.

– C'est exactement ce que vous avez fait, et en très peu de temps. J'ai cru que je vous avais perdu à jamais... et lorsque vous êtes sorti de la crypte et que vous m'avez embrassée, j'ai compris que mon devoir était de rester auprès de vous, et de vous protéger jusqu'à ce que la mort nous sépare.

Sa voix trembla en prononçant ces derniers mots, comme si elle craignait soudain que leurs jours soient comptés.

– Oubliez toutes ces appréhensions. Rappelez-vous seulement que Dieu ne nous abandonne pas et que nous sommes ensemble.

Il l'embrassa et elle eut de nouveau la sensation qu'il l'emmenait au paradis. Il baisait ses yeux, ses joues, sa nuque, ses seins, lui communiquant l'ardeur de sa passion. Elle aurait voulu que ses baisers ne cessent jamais et se sentir encore plus près de lui.

Elle ne comprenait pas ce qu'elle éprouvait, mais le duc, lui, savait. Dans les bras de Yursa il éprouvait un bonheur incomparable. Néanmoins, il savait que l'aspect spirituel de leur amour ne devait pas s'oublier dans la passion physique qu'ils éprouvaient l'un pour l'autre.

Parce que Yursa aimait le duc de tout son cœur et de toute son âme, elle avait le sentiment qu'il appartenait au divin, et lorsqu'il la fit sienne, ce fut comme si les portes du paradis s'ouvraient.

Le bruit des rideaux qu'on tire, réveilla Yursa. Dehors, il faisait encore nuit, mais l'aube n'allait pas tarder à poindre. Quelques étoiles pâlissaient dans le ciel. Le duc qui était à la fenêtre, revint vers le lit et prit Yursa dans ses bras. Elle se blottit contre son corps fort et athlétique et posa ses lèvres sur son épaule.

– Pourquoi avez-vous ouvert les rideaux? s'enquit-elle, curieuse.

– Je voulais regarder avec vous l'aube se lever, répondit-il. L'aube d'un jour nouveau, ma chérie, le début pour tous les deux d'une vie nouvelle.

– M'aimez-vous encore?

– Pourquoi cette question absurde? Je vous adore!

– Je ne vous ai donc pas déçu?

– Vous avez été parfaite, merveilleuse. Si je vous ai aimée cette nuit, je vous aime mille fois plus aujourd'hui, et demain mon amour sera encore plus grand.

Yursa se mit à rire.

– C'est ce que j'allais vous dire, alors que pas plus tard qu'hier matin, quand je me suis réveillée, je n'aurais même pas admis que je vous aimais.

– Et qu'éprouvez-vous maintenant?

– Je vous adore, je vous vénère, murmura-t-elle, intimidée.

– Je n'en demande pas plus!... Mais voulez-vous bien être mon guide? Il faut m'aider à devenir meilleur.

– Je vous désire tel que vous êtes. Je suis si heureuse, comme si les étoiles qui illuminaient cette nuit, brillaient désormais dans mon cœur.

– Et si je pouvais vous offrir la lune et le soleil, cela ne serait pas trop pour exprimer l'amour que je vous porte.

Elle lui tendit une main et l'attira contre elle.

– Il faut prendre garde à vous, dit-elle. Si jamais je venais à vous perdre, j'en mourrais.

Pendant quelques secondes ils pensèrent qu'ils avaient tous les deux été très proches de la mort.

– Il faut vivre, dit enfin le duc. Nous avons tant à faire. Mon pays a, ou aura, besoin de nous.

Elle se dit qu'il venait d'exprimer là le sentiment du devoir qui avait toujours animé les ducs de Bourgogne par le passé. Elle était sûre que les qualités du duc s'affermiraient au fil des années et qu'en cas de troubles et de difficultés, il serait un chef exemplaire vers qui les gens se tourneraient avec confiance. En outre, c'était l'homme dont elle rêvait depuis toujours, le héros qu'elle avait craint ne jamais rencontrer.

– Je vous aime, je vous aime, murmura-t-elle. Comment pouvez-vous être aussi merveilleux?

– Si vous me croyez merveilleux, peut-être finirai-je par le devenir.

C'était le but qu'il s'imposait, qu'il tâcherait d'atteindre afin que sa femme et ses enfants soient fiers de lui. Ainsi, il n'aurait pas vécu en vain.

Yursa incarnait la douceur, la tendresse même, les qualités qu'il avait toujours cherchées chez une femme. Bouleversé de tenir dans ses bras l'objet de ses désirs secrets, il l'embrassa avec une passion renouvelée, et comme auparavant, elle mit dans ses baisers tout son cœur et toute son âme.

Elle tremblait sous son étreinte, en proie aux flammes d'une passion qu'il avait éveillée en elle. Il caressait sa peau douce et les délicates rondeurs de sa gorge. Il ne pouvait connaître de bonheur plus grand.

Leur amour, révélé par cette force de vie qui venait de leur âme, était plus intense que le feu qui les embrasait. Ils vénéraient le même dieu qui les avait sauvés du mal et de l'enfer. Il voulait que Yursa oublie les épreuves terribles qu'ils avaient traversées. Néanmoins, il éprouvait une immense reconnaissance envers ce dieu qu'il respectait. Il avait contracté une dette que toute sa vie il devrait rembourser.

Serrant la jeune femme dans ses bras, il sentait le sang affluer à ses tempes et son cœur battre à tout rompre. Il était impossible de penser à autre chose qu'à Yursa et à l'amour qu'il ressentait pour elle.

– Je vous aime, ma chérie, mon trésor, ma femme adorée, murmura-t-il, sentant qu'elle brûlait du même désir que lui. Je vous veux de toute mon âme, maintenant, tout de suite.

– Je vous aime, César, répondit-elle dans un souffle. Aimez-moi, je vous en prie, aimez-moi...

Aucun homme n'aurait pu rester indifférent à ces paroles. Alors, ils sentirent une force irrésistible les envelopper et les entraîner dans l'univers parfait de leur amour.

L'aube se leva. Les premières lueurs du soleil

déchirèrent le voile gris du ciel et ce fut le jour.

Jeanne se trouvait dans la cuisine quand un domestique arriva de Montvéal avec un message pour le duc de la part de son secrétaire.

– Vous êtes bien matinal, Gustave, dit-elle.

– J'ai un message à remettre à Monsieur le duc.

– Il s'est passé quelque chose à Montvéal?

Gustave jeta un rapide coup d'œil par-dessus son épaule pour s'assurer qu'ils étaient bien seuls.

– En fait, je connais le contenu du message, avoua-t-il, l'air mystérieux.

– Ça, ça ne me surprend guère, remarqua Jeanne vertement. Vous êtes toujours au courant du moindre événement qui se passe au château.

– C'est vrai, répondit le valet avec une satisfaction évidente. Mais cette fois-ci, il s'agit d'une nouvelle particulière, vous pouvez me faire confiance.

– Qu'est-ce que c'est?

Incapable de se taire plus longtemps, il dit à voix basse :

– Mme de Salône est morte.

Jeanne le regarda d'un air incrédule.

– Je ne vous crois pas.

– C'est la vérité pourtant. Des bûcherons ont découvert son corps ce matin.

– On l'a retrouvée dans les bois?

– Derrière la chapelle, au fond du ravin.

– Vous dites vrai?

– Je vous le jure! Il paraît qu'elle était complètement déchiquetée et mouillée, comme si elle était tombée à l'eau.

– Voilà qui est bizarre.

– C'est ce qu'on dit les bûcherons, et ils avaient peur de la toucher, avec toutes les histoires diaboliques qu'ils ont entendues sur son compte.

– Elle est donc morte? reprit Jeanne après un silence.

– Aussi morte que je suis vivant! On a mis le corps dans une charrette pour le transporter chez ses parents.

Zélée de Salône qui avait fait enlever Yursa dans une charrette, ne méritait pas une meilleure fin.

« Ce n'est que justice après tout, songea la servante. Et quel soulagement pour notre maître et notre jeune duchesse. »

Le dernier nuage qui menaçait leur bonheur était dissipé. Cette nouvelle inattendue était un vrai miracle, un cadeau de noces en quelque sorte qui arrivait avant que le mariage ne soit annoncé. La mère du duc qui n'avait jamais caché sa méfiance et son antipathie à l'égard de Mme de Salône, serait également soulagée d'apprendre sa mort.

– Eh bien, puisque vous nous apportez une bonne nouvelle, monsieur Gustave, dit Jeanne, en voici une autre à ramener à Montvéal.

– De quoi s'agit-il?

– Monsieur le duc et mademoiselle Yursa, déclara Jeanne en détachant bien ses mots pour leur donner plus de poids, se sont mariés hier soir, ici même.

Gustave la regarda d'un air stupéfait.

– En effet, c'est une bonne nouvelle, mais quelle surprise!

Jeanne qui se doutait de la raison pour laquelle le mariage avait eu lieu si rapidement, ne répondit rien.

– C'est ce que tout le monde souhaitait, continua Gustave. Ils vont être sacrément contents au château quand je vais le leur dire.

Le valet exultait à l'idée d'être porteur d'un tel message.

– Retournez donc tout de suite à Montvéal pour annoncer la nouvelle, dit Jeanne en lui prenant la lettre des mains.

Comme Gustave hésitait, elle ajouta :

– En vous dépêchant, vous avez le temps de revenir avant que le duc et mademoiselle Yursa aient sonné pour le petit déjeuner. Vous pourrez donc remettre votre message en personne. Vous êtes marié, vous savez ce que c'est. On n'est pas pressé de se lever le premier jour de sa lune de miel.

– Vous avez raison, Jeanne, dit-il en riant. Je rentre au château prévenir les autres et je serai de retour avant que vous commenciez à compter les minutes qui nous séparent!

– Si vous croyez que je vais perdre mon temps à ça, vous vous trompez, répliqua-t-elle en se détournant, la lettre à la main.

– Allez, faisons-nous la bise pour célébrer le mariage du maître, dit Gustave en l'attrapant par le bras. Quelle excitation quand tout le monde va savoir que Monsieur s'est enfin fait prendre au piège de l'amour!

– Laissez-moi tranquille, s'écria Jeanne en le repoussant. Vous avez une femme et trois enfants. Gardez vos bises pour eux.

– Vous ne savez pas ce que vous manquez!

– Ne vous en faites pas pour moi.

Elle attendit que Gustave soit parti pour aller chez le duc. Mieux que quiconque elle comprenait l'importance pour le duc et la duchesse de la lettre qu'elle tenait à la main. Étant une femme, elle devinait que si Zélée de Salône n'était pas morte, Yursa n'aurait pas connu de tranquillité. La jeune femme aurait craint que le duc ne retombe sous la coupe de son ancienne maîtresse, ou que celle-ci ne cherche de nouveau à la tuer.

« Désormais, ils sont libres et peuvent être heureux », songea-t-elle.

Elle arriva devant la porte de la chambre des nouveaux mariés. Pas un bruit. Un sourire aux lèvres, elle alla s'asseoir sur une chaise un peu plus loin dans le couloir en attendant que la sonnette retentisse.

– Je suppose, mon chéri, dit Yursa, que nous devrions sonner pour le petit déjeuner.

185

– Le bonheur me coupe l'appétit, répondit le duc. Je veux passer toute la journée à vous aimer et à vous dire combien je suis heureux de vous avoir rencontrée.

– Moi aussi, mais je crains que vous ne finissiez par vous ennuyer.

– Me lasser de vous? C'est impossible! Mon trésor, il n'existe aucun mot assez merveilleux pour vous dire combien je vous aime et aussi combien vous êtes belle.

Passant le bras autour de son cou, Yursa attira le duc contre elle. Le soleil éclairait la pièce d'une chaude lumière dorée, et jouait dans la chevelure de la jeune femme. Le duc songea que Yursa était le soleil lui-même.

– Je vous aime, dit-il. Pourquoi n'existe-t-il pas d'autres mots pour exprimer l'amour que nous ressentons?

– Il est plus facile de se l'avouer en nous embrassant, répondit-elle en lui offrant ses lèvres.

Il la regarda longuement.

– Vous avez raison. Les mots sont superflus. Il suffit de s'embrasser.

Il se pencha sur Yursa. Le soleil les illuminait tous les deux et la douce chaleur de l'astre réchauffait leurs cœurs. Ils ne formaient plus qu'une seule et même personne.

DU MÊME AUTEUR

Hors collection :
22 nouvelles inédites (en un volume)

Cet ouvrage a été réalisé sur
Système Cameron
par la SOCIÉTÉ NOUVELLE FIRMIN-DIDOT
Mesnil-sur-l'Estrée
pour le compte des Éditions de Fanval
11, rue de Sèvres, 75006 PARIS
Achevé d'imprimer le 4 mars 1988

Imprimé en France
Dépôt légal : mars 1988
N° d'impression : 8596